천공의 신비 1

천공의 신비 1

발   행 | 2024년 1월 4일
저   자 | 사필귀정
펴낸이 | 한건희
펴낸곳 | 주식회사 부크크
출판사등록 | 2014.07.15.(제2014-16호)
주   소 | 서울특별시 금천구 가산디지털1로 119 SK트윈타워 A동 305호
전   화 | 1670-8316
이메일 | info@bookk.co.kr
편   집 | 김주희

ISBN | 979-11-410-6436-5

www.bookk.co.kr

천공의 신비 1

사필귀정 지음

목 차

예로부터 미지에서 기인한 공포는 인간의 기저의식 밑에 자리 잡아
끊임없이 아롱거리는 것이었다.
낭만과 야만의 시대.
당신은 낭만을 좇아 나설 것인가,
야만 속에서 안주할 것인가?

- 모험학개론 서문 중 발췌

제1장 월광, 대화, 이해

"죽음을 잊지 마시오!"

온 광장에 울려 퍼지도록 사내가 소리쳤다. 광장의 시민들은 저릿한 귀를 부여잡고도 절대 물러서지 않았다. 물러나기는커녕 굶주린 이리 떼처럼 몰려들었다. 오늘은 대 모험을 마치고 돌아온 캘리엇 명예 백작의 개선식이었다. 캘리엇 명예 백작은 3년에 걸쳐 아틀란티스행 모험을 떠나, 성공적으로 보물과 미지를 가져온 모험단의 단장이었다. 탐사 중 갖은 시련과 부상이 있었지만, 캘리엇 명예 백작은 거뜬히 이겨내고 당당히 복귀했다. 그런 대단한 영웅의 낯을, 한 번이라도 구경하겠다는 사람들의 의지가 불처럼 타올랐다.

렉시카 또한 군중 중 하나였다. 올해로 18살인 렉시카는, 어릴 적부터 여러 영웅담을 자장가 삼아 잠을 청했을 만큼 영웅을 동경하는 마음이

컸다.

'글로만 읽고, 꿈에서만 꾸던 영웅을 직접 만날 수 있다니!'

마을 어른들로부터 개선식에 관한 이야기를 듣고는, 개선식 날만 득득 별러온 렉시카였다.

"우와아…"

렉시카는 당장 죽어도 여한이 없어 보이는 표정으로 연신 감탄만 내뱉었다. 사방에서 들려오는 군중의 아우성, 쨍하게 내리쬐는 한여름의 햇빛, 온통 붉게 물든 영웅의 낯, 황홀경에 잠식된 영웅의 표정, 그리고 분위기에 취하지 말라는 듯 목청이 터져라 외쳐대는 사내. 이 모든 것을 뇌리에 각인시키겠다는 듯이 지켜보았다. 아. 나도 저 자리에 설 수 있다면. 렉시카가 과도한 도파민에 충혈된 눈동자와 열이 오른뺨을 붙잡고서 중얼거렸다.

명예 백작이 왕으로부터 하사받은 관을 높이 들어 올리자 사방에서 환호성이 들려왔다. 이곳, 다레안 광장은 온통 축제 분위기였다. 류트와 백파이프 소리가 춤을 췄다. 그러나 렉시카는 그 가운데 멀뚱멀뚱 서 있을 뿐이었다. 아직 개선식의 분위기에서 벗어나지 못한 탓이었다. 그때, 누군가 갑자기 렉시카에게 말을 걸었다. 렉시카는 화들짝 놀라 온몸을 튕기며 뒤돌아보았다. 밤색 머리칼을 가진 여성이 말을 걸어왔다.

"아가! 이 좋은 날에 왜 가만히 있어? 자, 이거 먹으면서 얼른 재밌게 놀아."

"네? 아, 아뇨, 괜찮은데…"

"어허. 어른이 주시면 감사합니다 하고 받는 거야. 얼른!"

"어, 감사합니다…?"

그제서야 정신을 차린 렉시카는 얼떨결에 빵을 받곤 내려다보았다. 말테스 빵집에서 파는 4페니 짜리 흰 빵이었다. 렉시카는 빵을 오물오물 씹으며 축제판으로 들뜬 걸음을 옮겼다. 치기 어린 마음의 소리가 걸음 걸음 딸려 올라갔다. 꼭 여행을 떠나야지. 여행을 떠나서 멋진 영웅이 되고 말 거야.

**

시간은 화살처럼 쏜살같이 지나갔다. 방금까지 내 머리 위에 떠 있던 해가 바다 아래로 숨어버리고, 대신하여 달을 내세웠다. 오, 세상에. 벌써 시간이 이렇게 됐단 말이야? 나는 헐레벌떡 집으로 향했다. 걸음마다 미련이 방울방울 떨어졌다.

"그래, 렉시. 개선식은 재미있든?"

"아하하…."

집에 돌아오자 아버지께서 기다리고 계셨다. 팔짱을 끼고서 계시는 모습이 마치 지옥 입구의 단호한 수문장 같았다. 나는 뚫어져라 쳐다보는 아버지의 시선을 피하며 멋쩍은 웃음을 그려보았다. 그리고 내 만행을 되짚었다. 명당을 잡겠다며 새벽바람으로 튀어갔다가 어둑어둑할 무렵에나 기어들어 온 미성년자 딸이라. 음. 충분히 혼날 만한걸.

"너무 늦게 들어와서 죄송해요. 그래도-"

"그래도? 그래도는 무슨 그래도야? 내가 그렇게 개선식은 안된다고 하지 않았어?"

"오… 음…, 제가 살면서 개선식을 볼 기회가 얼마나 되겠어요. 여기가 바다랑 가까워서 망정이지, 보통 개선식은 수도에서 하잖아요. 그런데 바다에서 3년이나 있던 사람 힘들겠다고 여기서 얼른 치른 거지. 아, 근데 역시 직접 보니까 죽여주더라고요! 그 많은 사람이 떠받들어주다니…. 붉게 물들인 얼굴도 정말 멋져 보였구, 시끄럽기만 하던 환호성도 부드럽게 들리구, 또-"

최대한 혼나지 않으려고 얌전히 말하던 목소리에 점차 열기가 서리고 말도 점점 빨라졌다. 그 광경을 되새기는 것만으로도 양 뺨에 홍조가 올랐다. 기분이 한창 좋아지고 있었는데 아버지가 갑자기 말을 끊었다.

"렉시카, 그만. 그만 얘기하자."

또, 또 반복이다. 매번 당신의 심기가 거슬릴 때마다 대화를 피하시기 일쑤였다. 화제를 돌리고, 내가 목이 터져라 말을 해도 도통 듣질 않았다. 원래도 좋지 않았던 분위기가 순식간에 더 서늘해졌다. 함박웃음을 짓던 얼굴이 그대로 굳었다.

"왜, 또 기분이 상하셨어요? 그렇게 반대하시던 개선식에 다녀왔다고? 아버지, 제가 누차 말씀드렸잖아요. 개선식은 왕실 주관 행사니까 안전하고, 혹시 모를 난동에 대비해 축제에 경비도 똑바로 섰다고. 아, 돈 때문에 그래요? 그래서 제가 손 안 벌리려고 시내에서 직접 벌었잖아요. 아니면, 늦게 들어온 것 때문에? 아까 사과드렸잖아요. 진짜, 뭐가 문제예요?"

아버지는 내 말이 들리지 않는다는 듯이 무시하고 방에 들어가셨다.

"아버지, 사람이 말을 하잖아요. 들어봐요. 저는 아버지가 왜 이렇게 유난인지도 모르겠고, 제 꿈을 왜 반대하시는지도 모르겠어요. 매번 이유를 물어도 알려주지 않고 안된다는 그, 빌어먹을 한 마디로 일축하시잖아요. 도대체 왜 그러시는지 이유를 알아야 제가 납득을 하든, 설득하든 할 것 아녜요. 그런데, 이제는 상관없어요. 우직하니 서 있는 벽에 대고 소리치기에는, 이제 목이 아파요. 아버지가 뭐라 하시든 저는 모험을 떠날 거예요."

씩씩거리는 호흡을 고르며 닫힌 방문을 노려보았다. 아버지의 방에서는 아무런 소리도 들려오지 않았다. 허, 한숨을 내뱉었다. 성인이 되기까지는 약 2년이 남았다. 반드시 떠나야 한다. 반드시.

거슬리는 적막을 뒤로 한 채 방에 들어와 침대에 몸을 뉘었다. 침대가 살려달라는 듯이 끼익-하고 소리를 내었다. 15살부터 운동을 시작했더니 체격이 커져 이제는 침대가 빠듯할 정도다. 분명 낮까지는 기분이 좋았었는데. 짜증을 삼킨 채 잠을 청했다. 정말, 극단적인 날이었다.

***

그 날을 기점으로, 나는 독립 준비에 더욱 박차를 가했다. 그게 내 최선이었다. 미성년자인 내가 당장 독립해 나올 수 있을 리 없었고, 다른 방도 역시 없었다. 새벽 5시에 일어나서 아침을 먹고 점심을 먹기 전까지 체력 훈련을 하고, 저녁을 먹기 전까지 공부하는 톱니바퀴 같은 일상을 보냈다. 몸을 단련할 때에는 정신을 쉬게 두었고, 정신을 단련할 때에는 몸을 쉬게 두었다. 옛적에는 집이 숲속에 있어 불편하다고 투덜거렸지만, 훈련을 하다 보니 최적의 환경인 것 같다. 주위에 있는 것은 그저 자연. 하늘을 뚫을 듯이 자란 나무들과 틈새 사이로 내비치는 텅 빈 하늘, 바위에 다닥다닥 붙어있는 이끼, 온통 초록색인 주변에서 톡 튀는 붉은 빛의 열매가 달린 덤불. 마음의 안정에 도움을 주는 것들이다. 사람도 기계로 대체되는 시대에 이렇게 자연이 남아있다니. 인간 최후의 양심인 것일까? 오, 그렇다면 나는 그 양심에 세를 들어 살아가는 사람이겠군. 혼자서 킬킬 소리내어 웃으며 훈련 흔적을 정리했다.

개선식이 있던 여름이 지나고, 어느덧 겨울이 찾아왔다. 훈련장으로 향하는 길에는 하얀 눈길이 깔렸다. 눈 위에는 주변 야생 동물들이 지나다녀 발자국이 나 있었다. 나무들도 저들의 쭉쭉 뻗은 가지 위로 눈을 얹어 새 단장을 했다. 눈은 햇빛을 반사해 가지각색으로 빛을 내며 어딘가 모르게 환상적인 분위기를 자아냈다. 이제 내가 직면한 문제는 단 하나… 아니, 두 개였다. 눈으로만 보았을 때 가장 아름다운 이 하얀 쓰레기는, 날이 조금만 따뜻해지면 사르르 녹아버리고, 날이 조금만 추워지면 꽁꽁 얼어버리는 놈이다. 어… 눈이 깔려 미끌거리는 곳에서 훈련할 수 있을까? 이의 있습니다, 렉시 씨. 눈이 내리는 날에는 모험을 하지 않을 생각입니까? 합당한 의견이네요, 채택하도록 하겠습니다, 시카 씨. 좋습니다.

자문자답하며 눈길을 거닐었다. 내가 밟는 곳마다 쌓인 눈이 무겁다며 비명을 질러댔다. 뽀득, 뽀드득. 오늘은 유독 날씨가 매섭다. 나도 모르게 벌린 입 사이로는 허연 입김이 스며 나왔다. 아, 오늘 점심은 따뜻한 걸 먹어야겠네. 라모트 주점의 닭고기 콩 스튜가 괜찮으려나. 응, 거기에 흰 빵을 곁들이면 더 근사할 것 같다. 그럼 훈련은 조금 일찍 끝내야겠네.

무념무상으로 단련하다가 하늘을 올려다보았다. 하얀 눈처럼 하늘도 순백이었으면 좋았으련만, 온통 칙칙한 회색 일색이다. 뻔하다. 주변 공장에서 나오는 연기겠지. 그런데도, 어디에서 빛이 쬐는지는 선명했다. 역시, 태양의 존재감 하나는 끝내줬다. 자, 그럼 해도 중천이니까 거리로 내려가자. 거리로 내려가는 길도 눈으로 덮여있었다. 그나마 사람이 많이 다니는 길이라서 야생 동물의 흔적은 보이지 않았다.

장터의 풍경은 여느 때와 다르지 않았다. 추운 날씨에도 입김을 뿜어가며 호객행위를 하는 장사꾼들과 꽉 찬 가방을 들고 바삐 걸음을 옮기는 사람들, 지출을 줄이려 흥정을 시도하는 고객과 단호히 거절하는 상인, 한 자리를 차지하고 앉아 악기를 연주하며 사람을 끌어모으는 방랑시인. 시끌벅적 사람이 사는 느낌, 온기가 느껴졌다. 온통 고요하던 숲속에 있다 온지라 더욱 그리 느껴지는 걸지도 모르겠다. 나도 냉큼 군중에 합류해 라모트 주점으로 향했다.

"어라?"

이게 웬걸. 라모트 주점은 없어지고 못 보던 골동품점이 그 자리를 꿰차고 들어왔다. 이럴 리가 없는데? 라모트 주점은 장사가 잘돼, 3대는 안정적으로 먹고살 것이라 우스갯소리로 오르락내리락하던 곳이었다. 아, 규모 확장으로 자리를 옮겼을까? 고민 끝에 골동품점 안으로 걸음을 옮겼다.

딸랑~!

손님을 알리는 종소리가 맑게 울렸다. 가게 안의 사람들은 새로운 방문객을 신경도 쓰지 않는 눈치였다. 심지어는 주인장도 말이다. 괜찮은건가 이 가게. 양옆으로 늘어진 진열장을 무시하고 카운터로 향했다.

"저기, 사장님?"

"아, 예. 찾으시는 물건이라도 있으십니까? 보자, 요새 청년들에게는 크리스털로 만든 펜던트가 유행하고-"

"그, 말씀 끊어서 죄송한데, 이 자리에 원래 있던 주점은 어디로 갔는지 아시나요?"

"아, 그거 물으러 오셨구먼. 거기가 장사가 잘되던 곳이었나 보오? 이거 묻는 사람들이 오늘만 해도 4번이 넘게 오더라만. 거기는 그쪽 딸이 기술학교에 합격해서 뒷바라지하겠다고 가게 접고 짐 싸 들고 수도로 올라갔소"

"아, 그런가요. 감사합니다."

내 점심…. 거기 닭고기 콩 스튜가 진짜 맛있었는데…. 낙담한 채 가게를 나서려던 그때, 사장이 말을 걸어왔다.

"이봐요, 청년. 척 보니 탐험 준비하려는 것 같은데, 이 물건 어떤감?"

상술인가? 속는 셈 치고 몸을 돌렸다. 생각해보니 냅다 가게에 쳐들어와서는, 물건 하나도 들여다보지 않고 나가는 것도 미안했다. 사장이 내세운 물건은 회중시계와 담뱃갑, 단검이었다. 전부 금빛으로 반짝거리는, 마치 새것 같은 물건이었다. 설마 금제일까, 금박이겠지.

"어, 혹시 금제인가요? 제가 아직 미성년자라서 돈을 마음껏 쓰지는 못하거든요"

"일단 들어보슈. 이 회중시계로 말할 것 같으면 저 프림 공화국의 이오네스 제독이 무 대륙 탐방에서 들고 온 것 중 하나인데, 고대인들의 초월적인 능력이 깃들어있어. 그리고, 보아하니 아직 회중시계가 없는 모양인데, 응? 딱, 으이? 신사답게 멋지게 하나 딱 하고 들고 다녀야지, 안 그래?"

"여자입니다."

"앗, 그런감. 그렇다면 다음 물건. 저기 로쳐해에서 발견된 담뱃갑이네. 이게 겉으로 보았을 때는 평범한 담뱃갑으로 보이지만, 실은 네무레의 불처럼 물 위에서도 불타오르는 화염을 만들 수 있는 담뱃갑이야."

면전에 대고 무안을 줬는데 저렇게 넘어가는 것도 재주다. 역시, 저 정도의 뻔뻔함은 있어야만 장사로 먹고산다는 것일까.

"아, 진짜요?"

흥미가 식었다. 상인의 말이 길어질수록 내 시선은 점점 서늘해졌다. 상인도 내 시선을 눈치챈 듯, 말을 빨리하기 시작했다.

"이 단검은 옛 크레카르 제국에서 출토된 단검으로, 상대를 숙숙 찌르기만 하면 피가 멈추지 않는 상처를 만든다네!"

"아, 진짜요?"

내 반응이 냉담하자 상인은 자존심이 상한 것처럼 괴상한 소리를 내면서 물건을 하나 더 가져왔다. 금색 테의 안경이었다. 이상하게도, 앞의 물건들과는 다르게 흥미가 동했다. 내 시력은 매우 좋아 안경 같은 보조 도구가 필요하지 않음에도, 무언가의 흐름과 같은, 운명적인 이끌림이…

"으흠, 이게 마지막 물건일세! 이 녀석은 머르딘 산맥의 호수에서 발견된 크리스털 안경이네. 범인들이 보지 못하는 것을 보여주며 착용자를 보호해주는 능력이 있어서 미지를 탐험하는 자들에게 안성맞춤인 놈이지. 어때, 이 녀석은 어떤가?"

"이건…. 상당히 흥미가 가네요. 가격이 어떻게 되나요?"

"원래는 1파운드 받는데, 청년의 미래가 유망해 보이니 조금 깎아줌세! 18실링이면 되겠군!"

나는 첩에게 거하게 홀려 귀족을 쥐어짰다던 데니란도 제국의 황제처

럼 내 지갑을 쥐어짜 홀린 듯이 값을 치렀다. 아니, 뭐, 18실링 정도
면… 내가 저축해둔 돈 안에서 충분히 낼 수 있는 가격이구…. 중얼중
얼, 듣는 이 하나 없는 변명을 시작했다.

주인장이 안경을 들자 안경테에 걸린 안경 줄이 서로 부딪히며 워터
폰같은 맑고 청량한 소리를 냈다. 나는 그걸 가볍게 받아들고 코 위에
걸쳤다. 안경은 처음 써봤는데, 생각보다 가볍다.

"히야, 잘 어울리는구먼! 물건이 임자를 만났네! 청년, 자주 들러. 청년
에게 맞는 물건들이 자주 들어올 것 같아. 내 느낌이 그렇네."

나는 능청스러운 웃음을 지어 보이곤 그리하겠다고 말하며 자리를 떴
다. 문을 열고, 다시 설국으로 돌아갔다.

꼬르륵~!

우렁찬 뱃고동이 울렸다. 얼굴의 열기가 새 물건에 대한 설렘이나, 매
섭게 부는 바람으로 인한 것이었으면 좋으련만. 사과가 제철이라고, 내
낯빛까지 사과를 시기하는 것 같다. 얼른 이걸 달랠만한 요깃거리를 사
야지. 1.5파운드어치의 버터와 닭가슴살 1파운드, 완두콩 한 자루와 그
리고… 아버지가 좋아하시는 상큼한 아이스티를 두어 병 사야겠다. 걸음
을 옮기는 내내, 사과 파이처럼 달곰한 기분이 들었다.

***

복닥복닥한 사람들 사이를 간신히 삐져나와 다시 자연의 품에 안겼다.
그것 특유의 톡 쏘는 향과 차분한 소리는 내가 생각을 정리하는 것을
도와주는 좋은 친구들이다. 그 덕을 보아 아버지께 할 말을 정리할 수

있었다. 곧 아버지께 말씀드릴 이 내용은 한 단어도 빠짐없이 내 진심을 꾹꾹 눌러 담은 출사표나 다름없다. 쇠도 뜨거울 때 두들겨야 모양이 잡히는 것처럼, 뜨겁게 불타고 있는 가족 관계의 기틀을 얼른 잡아버리고 싶다.

한 걸음, 한 걸음. 찬찬히 생각하며 걷다 보니 어느덧 집에 도착했다. 아무리 각오를 했어도 실전 직전에는 떨리기 마련인가. 끼이익, 대문을 열었다. 아버지가 이 추운 날씨에, 옷도 얇게 걸치시곤 야외 티테이블에서 평소에는 마시지도 않던 밀크티를 홀짝이며 신문을 읽고 계셨다. 신문에는 한창 논란이 일던 연합법이 제정되었다는 내용이 실려있었다. 당황한 마음과 불안한 마음이 동시에 들었다. 아니, 무슨 일이 생겼나? 나는 이 복잡한 마음에 입을 떠억 벌리고 말았다.

"어, 아버-"

"아가, 렉시카. 오늘은 내가 먼저 말하마. 괜찮니?"

뭐야. 새벽에 해가 서쪽에서 올라오진 않았는데…. 당황이 적나라하게 드러났을 법한 얼굴을 다스리지도 못한 채 그리하시라 답했다. 아버지는 신문에서 시선을 떼고, 나와 시선을 마주했다. 내가 안경을 긴 걸 보고 조금 놀라셨는지, 표정이 흐트러졌다. 물론 금방 갈무리하셨지만.

"우선은, 네가 제일 불만을 품고 있었을 법한 부분부터 사과하마. 네가 정론으로 물어올 때마다 나는… 회피하기를 택했지. 부정하지 않으마. 요는 내 사정이 어찌 되었건, 네가 태어나기도 전에 일어난 알지도 못하는 속사정 때문에 너를 함부로 대했다는 것이지. 그로 인해 받은 상처는… 정말 미안하게 생각한단다. 오늘 이렇게 먼저 말을 꺼내게 된 것은, 내가 그렇게 행동했던 이유를 알려주기 위함이란다. 나를 이해하라

강요하는 것은 아니며, 다만, 사과하는 것이야."

내가 머릿속으로 열심히 작성한, 철혈재상 못지않게 썼다 자부했던 그 출사표. 그게 새하얗게 화했다. 하얗게 물들어, 눈으로 비산했다. 눈은, 오늘따라 유독 독하게 내리부어 지던 그것은 어쩌면, 미래에서 건너온 모종의 복선이었던 것인가.

"음, 조금 두서없을 수도 있겠구나. 우선, 우선은 말이다. 내가 어릴 적, 딱 너만 했을 나이에는 온 도시 사람들이 나를 알아보았단다. 매일 모험가가 되겠다고 악을 쓰는 남자아이라고 하면 모두가 내 집을 가리켰지. …감이 오니? 너는 내 어릴 적 모습과 똑 닮았단다. 나도 너처럼 탐험단의 말단으로 시작해서 언젠가는 나만의 무리를 꾸리리라, 그리 생각했었지. 실제로 그렇게 될 것만 같았단다. 성인이 되어서는 나름 알아주는 탐험단 면접에 합격해서 떳떳이 가슴을 펴고 고향으로 돌아왔어. 실제로, 탐험단 내에서는 괜찮은 일원이었고, 인사들도 좋게 보아 탄탄대로가 열린 것만 같았지. 그런데, 왕국력 1394년, 갑자기 일이 터진 거야."

"…1394년이면, 북해 전쟁인가요?"

"그렇지. 내가 속해있던 탐험단이, 용병으로서 그 전쟁에 참여했단다. 마침 우리는 무력으로는 나름 알아주는 부류였고, 더 많은 돈을 부르는 쪽에 기꺼이 합류했지. 그런데, 한껏 부푼 가슴으로 향한 전쟁터는, 정말… 처참했단다. 무력이 있는 자칭 우월한 민족이, 그네들의 나름대로 열등한 민족을 분류하며, 그들은 갱생되지도 않는 열등한 민족이라 윽박지르고, 무자비하게 학살했지. 그 시점에서 회의감이 들었단다. 과연 내가 이러려고 그리 치열하게 살아왔나? 이런 곳에 내 칼날을 휘두르는 것이 가당키나 한 일인가? 내가 찾고자 했던 '신비'가 바로 인간학살인가? 그 생각이 떠오르자마자, 바로 단장에게 달려가 그만두겠다는 의사를 밝히고는 뛰쳐나왔어. 어디에도 갈 곳이 없다는 걸 망각한 채, 한 마리 투우처럼 달리고, 또 달렸어. 생각해보렴. 출항할 때에는 기세등등해서 절도있게 걸어가던 젊은 청년이, 피골이 상접한 모습으로, 분명히 뭔가 문제가 있어 보이는 모습으로 마을에 기어들어 오다니. 절대 못 돌아가지. 암. 그런데, 그런데도… 돌아가게 되더구나. 인간이 생각하는 것보다, 감정은 인간을 빠르게 갉아먹어 이성을 잠식해."

그 마지막 마디를 매듭짓는 시점에서, 아버지는 매우, 이루 말할 수 없을 만큼 지쳐 보였다. 아버지의 흑단 같은 머리카락 사이로 존재감을 발하는 흰 머리카락들이, 눈 밑에 중후하게 자리 잡은 주름이, 유독 눈에 띄었다.

"그 이후로는, 그냥 살아갔단다. 살아있기에 살았지. 그저 관성대로 움직였어. '신비'에 관한 이야기는 귀를 접어가며 피하고, 눈을 감고, 입을 막고, 조용히 숨을 죽여서, 이 고요한 숲속에 나 자신을 가두었단다. 그런데, 그런데, 네가 나타난 거야. 햇빛도 겨우 드는 이 숲속에, 포대기에 싸인 갓난쟁이가, 혼자서. 성인도 살기 힘든데, 그 조그마한 아이가, 나무 둥치 근처에 뉘어져 있었단다. 어떻게, 도대체 어, 떻게, 사람 된 도리로서, 어떻게, 무시할 수 있었겠어…."

나는 아무 말도 할 수 없었다. 무엇이든 뚝딱뚝딱 해결할 것 같았던 아버지의, 서운한 모습은 보여주었어도 결코 못 미더운 모습은 보여주지 않았던 아버지의, 이렇게 약한 모습은 처음 보았다. 목소리에는 온갖 감정이 담겨서, 물기도 어렸고, 소리가 어긋나기도 했고, 끝내는 목이 메

듣기 흉한 소리가 났다. 내 상식이 산산이 부서지는 느낌이었다.

"아가, 렉시카. 나는, 나는, 두려워. 네가 나와 너무 닮아서. 피 한 방울 섞이지도 않았는데, 네 인생을 인쇄하면 내 인생과 기껏해야 오탈자밖에 차이나지 않을 것 같아서. 나와 똑같은 전철을 걸어갈까 봐, 네가 내 거울상인 양 생각되어서, 너무 두려워."

평소에는 그렇게 잘 나오던 '괜찮다'라는 한 마디가, 양순한 그 말이, 모든 일이 해결되는 듯했던 그 단어가, 목에 비수처럼 턱, 걸려서 나오지 않았다. 눈치가 없다는 말을 듣고 살았지만, 무너진 사람 위에 짐을 더 올리는 일은 결코 할 수 없었다. 아버지는 내 모습을 볼 때마다. 그 적지 않은 시간마다. 당신과 투쟁해오고 있었다.

"나는, 네가… 나처럼 망가지는 모습을 두고 볼 수 없을 것 같구나. 네가 가지고 있는 환상은 현실 앞에서 무참히 깨져버릴 수도 있고, 탐사 도중에는 네 정신 또한 산산이 조각날 수도 있어. 그러니 아가. 모험가가 되는 걸 다시 한 번만 재고해보면 안 되겠니. 이번에는 네가 어떤 선택을 하든 존중할 것이란다. 모험가가 되려고 결심하면 물심양면으로 지원해주고, 되지 않으려 한다면, 같이 어떻게 살아갈지 이야기도 해볼 거야"

말을 마친 아버지는 아까와 다르게 잔잔한 호수처럼 맑은 눈으로 나를 바라보았다. 울어서 붉게 물든 눈가와 차분한 금색 눈동자가 참 모순적이었다. 그것은 내게 물어왔다. '신비'를 마주할 각오가 되었는가, 하고. 그 누구라도 저 눈동자의 앞에서는 주눅이 들 것이다. 그러나 나는,

"아버지께서 지금까지 듣지는 않으셨지만, 저는 항상 외쳐왔어요."

바람을 타고 날아간 출사표를 더듬더듬 잡아 이끈다.

"저는,"

그리고, 씨익 웃으며 자랑스럽게 펼친다.

"모험을 포기하지 않을 거예요. 반드시."

저는 정말 끈질긴 사람이거든요.

제2장 신비, 낙백, 포말

"자, 그럼 '신비'에 관해 가르쳐주마. 렉시. 너는 '신비'가 무엇이라 생각하니?"

"정의하자면 인간의 사고방식으로 이해하기 힘든 현상… 정도이지 않을까요?"

"그렇지. 하지만 그것뿐 만은 아니야."

동시에, 벽에 걸어둔 가죽 지도를 가리켰다. 지도는 섬세했다. 그러나 군데군데 검은 얼룩이 묻어있었다. 태평양 한가운데와 인도양의 한 가운데, 그리고 양극단. 전부 인류의 발걸음이 닿지 않은 미지의 공간이었다.

"우리는 이런 식으로 인류가 아직 알지 못하는 미지의 것들도 '신비'라고 부른단다. 탐험가들의 목표는 이 '신비'를 파헤치는 것이지. 가끔 돈에 눈이 먼 사람들이 용병과 같은 일을 하기도 하지만, 보다 정확하게

정의하는 목적은 저거야. 자, 렉시. 그렇다면 '신비'를 탐험하기 위해서
는 어떤 게 필요할까?"

"위험을 헤쳐나갈 수 있는 무력과 훌륭한 추리를 끌어낼 수 있는 지
력?"

"좋아. 그래서 대부분의 탐험단은 입단 시험으로 필기와 실기 시험을
보지. 그리고 입단 후, 핵심 인력이 되면 또 다른 '신비'를 알게 된단
다."

아버지는 말을 하면서 쓸쓸한 미소를 감추지 못하셨다. 그 입꼬리에서
는 후회와 망집, 추억 등이 묻어나왔다. 나는 저도 모르게 내 입꼬리를
매만졌다. 내 것에서는 기쁨과 호기심, 그리고 설렘 등이 묻어나왔다. 상
반된 두 입꼬리가 마주 보았다.

"먼 옛날, 태곳적의 시대까지 거슬러 올라가면 신이 나온단다."

"신이오?"

세상에, 신이라니. 그게 정말 존재했단 말이야? 기억이 있을 적부터
신을 믿지 않았던 나로서는 도저히 이해되지 않는 개념이었다.

"그래. 당장 도심에 있는 여러 종교의 신당이 모시는 그 신 말이야.
그 초월적 존재들은 인간들을 아꼈단다. 그래서 인간들이 자연으로부터
몸을 지킬 수 있도록 일부에게 권능과 이성을 내려주었지. 그러나 인간
은 반드시 죽음을 맞이하고, 그 일부라고 해서 예외는 아니었어. 권능을
가졌던 인간이 죽으면 그 권능은 이 세상 어딘가에서 결정으로 화한단
다. 이 결정은 그대로 형태를 유지하기도 하지만, 장인들의 가공을 거쳐
서 신비한 능력을 갖춘 물건으로 탈바꿈시킬 수 있어. 그 물건들은 권능
을 담았다 하여 수용물이라 부른다. 그래서 탐험가들은 이 권능을 찾

아다니고, 권능을 이용해 '신비'를 파헤친다. 탐험하는 말단들은 잘 알지 못하지만, 실은 '신비'와 관련된 것들을 탐사하는 것이지."

그렇다면 각 교회의 추기경 정도 되면 모두 권능을 가지고 있겠군. 제 신들이 내려주신 것들을 회수하겠다며 탐험가들을 잡아 족치겠다며 길길이 날뛰려나. 무신론자인 나에게 그다지 와닿지는 않았다. 나도 그 '신비'를 경험하면 실감할 수 있을까?

"이걸 다른 사람들은 모험단의 주요 인물까지 올라가서야 알 수 있다는 것이군요. …아버지도 권능이 있나요?"

"응. 어쩌다 보니 가지게 되었단다."

"그렇다면, 아버지는 신의 존재를 믿나요?"

순간 아버지의 시선이 사방으로 흩어졌다. 얼마 지나지 않아 시선을 가다듬으셨지만, 한 번 지리멸렬된 그것은 전과 같지 않았다.

"…믿게 되었단다. 원래는 믿지 않았지만, 음, 여기까지만 말하마. 일전의 질문에 대답하자면, 내가 가진 권능은 지금은 말해줄 수 없어. '신'은 자신과 연관된 일에 예민하게 반응해서, 아직 준비되지 않은 사람이 너무 깊숙하게 알게끔 하면 안 된단다. 특히 신이 주목했던 자라면 더더욱 말이야. 대신 여러 신의 권능을 알려주마. 처음 권능을 깨우치고 일정 기준을 충족하게 되면 다음 단계로 넘어갈 수 있단다. 네게 어울릴 것 같은 권능도 한 번 찾아보자꾸나."

아버지는 커다란 종이 위에 글을 쓰기 시작했다.

"이 세상에는 열셋의 신이 있어. 제 일의 신은 불과 관련한 권능을 선물한단다. 저 무저갱에서 올라오는 불꽃을 선물로 주지. 제 이의 신은 신체의 힘과 관련한 권능을 선물한단다. 인간 본연의 신체를 북돋아 주는 것이지. 제 삼의 신은 어둠과 관련된 권능을 선물한단다. 미지의 세상이었던 밤을 비로소 정복하는 거야. 제 사의 신은 바다와 관련된 권능을 선물한단다. 수많은 비밀과 미지를 품은 곳을 이해할 수 있도록 도와주지. 제 오의 신은 지식과 관련된 권능을, 제 육의 신은 이동과 관련된 권능을, 제 칠의 신은 대지와 관련된 권능을 주어 인간으로 하여금 '신비'를 파악하는 데 도움을 주지. 제 팔의 신은 속임수와 관련된 권능을, 제 구의 신은 운과 관련된 권능을, 제 십의 신은 음악과 관련된 권능을, 제 십일의 신은 마음과 관련된 권능을, 제 십이의 신은 범죄와 관련된 힘을 주어 인간을 대하는 데에 있어 어려움을 덜어준단다. 마지막으로, 제 십삼의 신은 시간과 관련된 권능을 내려주지. 안 그래도 적은 권자 중, 제 십삼의 신의 권자가 가장 적단다. 개인적으로 나는 네가 이동과 관련된 힘을 가졌으면 하는구나. 그게 너와 제일 잘 어울리는 것 같거든."

"이동이요…. 확실히, 여러 군데를 탐험해야 하는 만큼 관련 계열이 좋을 듯하네요. 조언 감사해요, 아버지."

아버지를 향해 웃음을 지었다. 아버지가 새삼스러운 표정으로 내 얼굴을 바라보며 운을 떼었다.

"렉시, 무엇 하나만 물어도 되겠니?"

"물론이지요."

"네가 쓰고 있는 안경 말이다. 어디서 났니?"

"아, 동네에 말테스 주점 있잖아요. 거기가 이번에 없어지고 새로 골동품점이 들어왔더라고요. 어쩌다 보니 구경하다가 하나 샀어요. 무슨 회중시계니, 담뱃갑이니, 단검이니 하는 이상한 것들 사이에서 이게 제일 괜찮아 보이더라고요."

대답을 이어갈수록 아버지의 낯이 굳어만 갔다. 설마 내가 마음대로 뭘 사서 그런 건 아닐 테고, 안경이 뭐 이상한 건가?

"안경 좀 줘보련?"

안경을 받아든 아버지는 안경을 한참을 살펴셨다.

"렉시. 이 안경이 아까 설명했던 수용물이란다. 보아하니 시야에 영향을 미치는 것 같은데, 평소와 다른 부분이라도 있었니?"

"어, 그리고 보니 이걸 살 때 범인들에겐 보이지 않는 것을 보이게 해준다느니 뭐니 하긴 했어요. 그리고 아까 아버지를 봤을 때 이상하게 불안한 기분이 들었어요."

"그 불안한 느낌을 잘 기억해 두렴. 권자끼리 마주 볼 때는 이상하게 불안한 기분이 들곤 한단다. 권자는 그를 통해 상대를 분간할 수 있어. 아무래도 이 안경은, 제 오의 신의 권능을 담은 수용물인가 보구나."

"그런데, 권자가 이 수용물을 보면 무언가 느낌이 오나요? 이게 권능의 역할을 한다면 권자한테도 영향이 있을 것 같은데."

"음, 약간 불안한 느낌이 들긴 하는데… 권자를 마주할 때 보다는 덜하단다. 상대의 허를 찌르는, 일종의 묘책이 될 수 있을 것 같구나."

"아하. 좋은 물건을 얻었네요."

생각지도 못한 곳에서 수용물을 얻었다. 이게 행운일지 불운일지는 두고 봐야 알 수 있겠지. 권자를 분간할 수 있는 일반인이라니. 권자들은 예상도 못 하지 않을까?

***

시간은 고이지 않고, 그렇다고 범람하지도 않고 술술 흘러만 갔다. 약 2년이 남아있던 성년은 약 1년, 반년, 그리고 어느샌가 하루를 앞두고 있다. 저번의 대화 이후, 성년이 되면 수도로 올라가 괜찮은 탐험단을 알아보기로 했다. 어지간히 알아주는 곳은 대부분 면접과 시험을 봤다. 그래서 괜찮은 곳에 들어가려면 실력이 받쳐주어야 했다. 그렇지만 아무리 실력에 자신이 있다고 해도… 중요한 시험을 머리맡에 두고 잔다면, 그 누구라도 가위에 눌리기 충분할 것이다. 도저히 질 좋은 잠을 잘 수가 없다! 고향은 수도로부터 상당히 멀리 떨어져 있었다. 그래서 오늘 미리 수도로 올라가야 한다.

뿌우우-!

증기 기관차가 그 육중한 몸을 이끌고, 겨우 숨을 들이쉰다. 간만에 하늘이 맑아 유리로 둘러싸인 천장에서 빛이 비산하여 내리쬐었다. 석탄이 타는 냄새를 가리기 위함일까, 곳곳에 향료가 깔려 있었다. 바다를 구경하러 온 것인지, 멋지게 옷을 빼입은 사람들이 삼삼오오 모여서 거닐고 있었다. 수도, 안델로 향하는 기차는 9번 정거장에서 탈 수 있었다.

역시나 안델 행 기차이니만큼 기다리던 승객이 많았다. 어느덧 시침이 7시 정각을 가리키고, 주의를 알리는 맑은 종소리와 정각을 알리는 시계의 소리가 겹쳐서, 총 13번의 종소리가 울렸다.

"종이 열 번 넘게 울리니까 조금 오싹하네요. 심지어 엇박으로 울렸잖아요."

"그러게나 말이다. 아, 이럴 때가 아니지. 얼른 올라타자꾸나."

예약해둔 좌석이 어디로 도망가는 것도 아닌데, 서둘러 기차로 향하는 아버지를 뒤따라 기차에 올랐다. 증기 기관차는 생각보다 크고, 웅장했다. 붉은 바닥이 깔린 좁은 통로 양옆으로 객실이 즐비했다. 우리는 트렁크에 짐을 올리고 좌석에 앉았다. 사실 별 기대는 하지 않았는데, 생각보다 좌석이 푹신했다.

"렉시. 안델까지는 5시간 정도가 걸릴 텐데, 뭘 할 거니?"

"피곤하긴 한데… 지금 자버리면 기껏 시험 시간에 적응했던 게 허사로 돌아가니까, 필기시험을 더 준비해야겠네요. 아버지께 여러 이야기를 듣긴 했지만, 혹시는 혹시니까요."

"그래. 아무리 난방이 된다고 해도 날이 차니 필요한 것 있으면 얼마든지 이야기하렴."

네엡. 나는 가방에서 종이와 필기구를 주섬주섬 꺼내 공부를 시작했다.

***

5시간이 쏜살같이 지나갔다. 열차 안의 고인 공기에서 벗어나 흐르는 공기를 쐬니 가슴 속까지 상쾌해지는 느낌이었다. 이대로 예약해두었던 여관으로 가면 된다.

"마차!"

"네, 손님. 공유 마차인데 괜찮으십니까?"

"예, 괜찮아요. 윈터베인 여관까지 가려고 하는데 방향이 맞을까요?"

"옙, 타시면 됩니다."

안델에는 마차는 적지만 유동 인구는 많아 공유 마차가 성행했다. 비교적 적은 거리를 이동하면서 승객은 더 받을 수 있으니 가격은 상당히 저렴해졌고, 비교적 저렴하다 보니 한 푼 한 푼이 귀중한 노동자 계층이 애용하는 것이었다.

여관은 온통 탐험단 입단 시험을 보러 전국에서 모인 사람들로 가득 차 있었다. 주인장이 방이 없다고 말하는데도 저 멀리 시골에서 시험 하나만 보고 올라왔다며 읍소하는 사람들도 여럿 있었다.

"예약해두어 다행이네요."

"그러게나 말이다."

우리는 꾸역꾸역 모인 사람들 틈을 뚫고 객실로 향했다. 뒤에서 저 사람들은 왜 그냥 올려보내냐는 아우성이 들려왔지만, 내가 알 바는 아니었다. 그렇게 짐을 풀고, 내일을 위해 잠을 청했다. 분명 악몽이든 뭐든 꿀 것이라 생각했지만, 뜻밖에도 꿈 없이 잠들었다.

***

마침내 결전의 날이 밝았다. 멍하니 밥을 먹고, 몸을 청결히 하고, 다시금 마차에 몸을 실었다.

"렉시, 괜찮니? 아까부터 안색이 창백한걸."

"괜찮아요. 그냥 조금 긴장한 것뿐이에요."

"네가 괜찮다면야 상관없지만… 부디 후회 없는 결과 있었으면 좋겠구나."

나는 엷은 웃음을 지었다. 그러게요. 제가 노력한 만큼의 결과가 있었으면 좋겠네요.

"다녀오겠습니다."

마차에서 내려 탐험단의 건물로 향했다. 내가 면접을 보려는 곳은 블라스콜 탐험단. 내부 정치 따위의 것들 없이 순수하게 탐험에 집중하는 탐험단으로 유명한 곳이었다. 그래서일까, 상당히 많은 지원자가 눈에 띄었다. 필기에서 실수할까 긴장 완화 약물을 들이켜는 사람과, 가족과 생이별을 하는 것 마냥 부둥켜안고 있는 사람과… 사람이 너무 많은 거 아니야?

얼른 프런트로 다가가 번호표를 받았다. 72번. 예쁜 숫자다. 8×9. 더 자세히 하자면 $2^3×3^2$. 문득 그런 생각이 들었다. 무언가로 자신을 나눌 수 있다는 것은 얼마나 아름다운가. 자신을 구성하는 요소를 정확히 정의할 수 있다는 뜻 아닌가. 하다못해 저런 숫자도 나뉘는데. 과연 나는 나를 정의할 수 있을까? 나는…, 음, 소수인 걸로 해둘까. 시험을 앞두고 이런 생각이나 하다니. 괜히 마음 쓰이잖아.

상념에서 빠져나와 주위를 둘러보았다. 주위는 온통 긴장한 사람들 천지였고 시험 감독관이 수험생들의 순번을 부르는 소리로 시끄러웠다. 그리고 그 사이에서 긴장하지 않고 침착한 태도를 유지하는 사람이 눈에 띄었다. 짙은 밀색의 머리카락을 한쪽으로 느슨하게 땋아 내린, 유록색 눈을 가진 사람이었다. 전체적으로 날렵한 인상이지만 눈꼬리가 은은하게 내려가 있는 미남이었다. 온몸을 반짝이는 보석으로 휘감았는데도 절대 꿇리지 않을 만큼 화려한 외모였다. 그리고, 눈이 마주쳤다. 자연이 담긴 눈에서 읽어낼 수 있었던 것은, 생뚱맞게도 생면부지의 사람과 눈이 마주쳤다는 당혹감도, 불쾌감도, 그 무엇도 아닌 반가움이었다. 반가움? 의아함이 들 찰나,

"안녕하세요, 혹시 몇 번째로 시험 보시나요?"

그가 말을 걸어왔다. 이 주변의 사람 중에서는 이 남자 외에는 경쟁자가 보이지 않는 상태. 저절로 경계의 마음과 불안감이 들 수밖에 없었다. 불안감? 오, 설마?

"오, 혹시 무례했을까요? 그러면 사과할게요. 인간관계에 서툴러서. 아, 제 이름은 애런이에요. 애런 포르네우스."

"제 이름은 렉시카예요. 렉시카 녹스. 그런데 왜-"

"아하하, 이것도 인연인데 안면 좀 트려고요. 이건 제 직감인데, 뭔가 당신과는 잘 맞을 것 같아서요. 주변은 전부 긴장해서 덜덜 떠는데, 녹스 씨만 긴장한 기색도 없이 덤덤하게 앉아있더라고요. 그래서 시험에 다시 도전하는 사람인 줄 알았네요."

정말 우연히도, 그가 말을 마치기가 무섭게 시험 감독관이 수험생 전원 필기시험을 준비하라 외쳤다. 그는 아쉽다는 듯 웃었다.

"아, 아쉽게 됐네요. 그러면 나중에 봐요, 녹스 씨."

그는 난데없이 말을 걸고는 내 정신을 휘저어놓았다. 그의 페이스에 말려버렸다! 뭐 하는 놈인데 이런 짓을 한 거지? 게다가, 나중에? 왜 저렇게 이 세상의 진리를 다 아는 양 구는 거야? 진짜 뭐 하는 사람이지?

"거기 멍하게 서 있는 수험생. 얼른 준비하세요."

이크, 이러다가 밉보이겠는걸. 나는 혼미한 마음을 다잡을 새도 없이 걸어갔다. 한숨이 절로 폭폭 쉬어졌다. 아무래도 영 이상한 사람과 엮인 것 같다.

***

필기시험은 생각보다 쉬웠다. 탐험의 역사와 탐험학개론, 기후학 등이 나왔다. 내가 특히 어려워하던 근대사가 어렵게 나오지 않아 다행이었다. 아, 이제는 끝난 시험이야. 신경 쓰지 말고 실기에나 집중하자.

애써 마인드 컨트롤을 하며 실기시험장으로 가자 반갑지는 않은 얼굴이 나를 기다리고 있었다. 또 그 남자다. 음, 더 엮이기는 싫은데.

"녹스 씨, 시험은 어떠셨나요?"

"어려워하던 분야가 다행히도 쉽게 나왔네요. 나름 잘 본 것 같아요. 포르네우스 씨는 어땠나요?"

"저도 어려워하던 분야가 무난하게 나왔어요. 되게 잘된 일이었죠. 이젠 실기만 치르면 끝이에요. 드디어."

그렇게 말하는 그의 모습은 퍽 후련해 보였다. 나에게 여러 번 도전했느냐 말을 걸어왔던 자신이야말로 이 시험에 몇 번이나 도전했던 것 마냥.

"그러게요. 실기만 치르면 꿈에 그리던 모험가가 될 수 있어요. 저는 어릴 적부터 모험가가 되고 싶었거든요. 그, 왜, 재작년에 캘리엇 명예 백작의 개선식이 열렸잖아요. 그걸 직접 보러 갈 정도로 열성적이었어요. 그래서 성년이 되자마자 시험을 보러 올라왔어요."

"꿈이 되게 확고했네요. 저는 여러 방향으로 방황하다가 겨우 정착했어요."

그가 씁쓸한 표정으로 말했다. 무언가 깊은 뒷사정이 있는 듯한 표정이었다. 방금까지는 세상 이치에 통달한 양 굴던 사람이 이런 모습을 보이니 인간미가 느껴졌다. 뭔가, 마음의 거리가 조금은 좁혀진 느낌이었다. 뭐가 그 남자를 이렇게 만들었을까. 조금은 궁금했지만, 굳이 캐묻지는 않았다. 구태여 남의 상처를 헤집을 필요는 없었다. 무언가 적당히 맞장구를 치러 할 찰나, 직원의 안내가 들려왔다.

"수험생 여러분, 집중해주십시오. 실기 시험에 대해 안내를 하겠습니다. 실기는 저희 대원과의 일대일 대련으로 진행됩니다. 상대는 무작위로 선정되며, 제1 대련장부터 제10 대련장까지, 10명의 수험생이 동시에 시험을 치릅니다. 그럼 호명하는 번호의 수험생들은 각자의 대련장으로 향해주시길 바랍니다."

"일대일 대련인가 보네요. 자신 있어요?"

"음, 그러게요. 대련은 거의 안 해봐서…. 작년까지만 해도 시험장에 함정이나 암호 같은 걸 두고 어떻게 헤쳐나가는지가 과제였다는데, 갑자기 이렇게 바꾸다니."

예상과 달라진 상황에 속이 빙빙 꼬이는 기분이었나. 게다가 만약에 '권능'이 있는 사람과 대련한다면 결과는…. 겨우 신입을 뽑는 자리에 그런 핵심 인력을 내보낼 일은 없겠지만. 마음을 놓으려 애써 노력하며 이것저것 말을 걸어오는 포르네우스 씨에게 적당히 맞춰주고 있을 때, 내 수험번호가 불렸다.

"아까는 포르네우스 씨가 먼저 불렸는데 이번에는 제가 먼저네요."

"하하, 그러게요. 잘 보고 오세요."

찬연하게 웃는 그를 바라보다 충동적으로 손을 내밀었다. 그는 갑작스러운 행동에 당황했는지 눈을 크게 뜨고는 끔뻑이며 나를 바라보았다.

"악수나 한 번 해주세요."

그는 순순히 내 말에 따르면서도 영문을 모르겠다는 표정이었다. 마주 내어진 그의 손은 대리석처럼 창백하고, 마디가 불거진 손이었다.

"저, 녹스 씨? 갑자기 손은 왜…"

"그냥요."

그는 어이가 없다는 표정으로 나를 쳐다보았다.

"그냥, 감이에요. 그렇게 해둘게요."

나는 석상처럼 굳어있는 그를 두고 대련장으로 향했다. 흐, 이걸로 쌤 쌤이다. 일전의 복수를 한 것처럼 통쾌한 기분이 들었다.

***

나는 황급히 중앙으로 향했다. 포르네우스 씨에게 한 방 먹여준 것은 좋았지만, 조금 늦지는 않았나 싶었다. 중앙은 온갖 직원과 대원, 수험생이 모여서 혼잡했다. 얼른 직원에게 다가가 말을 걸었다.

"수험번호 72번 맞나요?"

바쁜 일정 때문일까, 피로가 그득해 보이는 안색이었다. 저런….

"네, 제6 대련장으로 가면 되나요?"

"어휴, 빠릿빠릿해서 좋네요. 그리로 가면 대원분이 기다리고 계실 거예요. 건투를 빌게요."

"네, 감사합니다. 수고하세요."

다행히도 제6 대련장은 중앙과 가까웠다. 대련장은 흰 석재가 깔끔하게 깔려 있어 대련에 적합해 보였다. 그동안 대련이라고는 아버지와 숲에서 했던 약식 대련뿐이었던 내게는 낯선 풍경이었다. 대련장 가에 마련된 의자에는 커다란 사람이 앉아있었다. 나와 대련할 사람이려나. 세상에, 저 근육 좀 봐. 이길 수 있을까? 불안한 기분에 무심코 내 팔뚝을 쳐다보았다. …아니야, 이길 수 있어. 쫄지 마, 지지 마!

"안녕하세요, 수험번호 72번입니다. 실기 시험을 치르러 왔어요."

인형이 의자에서 느적느적 일어났다. 역광 때문에 잘 보이지 않았지만, 중년 정도 되어 보이는 연배의 여성이었다. 그는 동백꽃처럼 붉은 적발을 한 갈래로 틀어 올려 묶었고, 생강꽃같이 노란색의 눈동자와 건강한 빛의 피부를 가지고 있었다. 저 피부는 필시 수많은 모험의 산물이리라. 음, 대련은 어렵겠는걸. 그는 늘어지게 하품을 하며 내게 다가왔다. 전체적으로 햇빛 아래서 추욱 늘어진 고양이 같은 인상이었다.

"흐아암… 안녀엉…. 네가 이번에 대련할 수험생이구나아? 반가워. …오?"

그는 내 눈가를 뚫어져라 쳐다보았다. 왜 보는 거지? 눈가를 만지작거렸다. 안경이 손에 걸렸다. 아하, 이걸 신경 쓴다 이거지? 확실히 권자겠네.

"음, 뭐, 굳이 통성명까지 할 필요는 없겠지이. 그럼 대련 시작할까아?"

단도직입적이잖아? 오히려 좋아.

"네. 대련 시작해요."

우리 두 사람이 대련장 위에 서자 심판이 다가와 규칙을 다시 설명해 주었다. 이 사람 역시 대원이겠지.

"무기 없이 맨손으로 격투, 대련은 둘 중 한 명이 끝을 선언할 때까지 진행됩니다. 이의 있는 사람 있나요?"

"아니요, 없습니다."

"없어어…."

"공적인 태도 유지해주시길 바랍니다."

"이잉, 유도리가 없어, 유도리가. 나 때는 말이야-"

"그럼, 신호와 함께 대련을 시작하겠습니다."

셋, 둘, 하나.

호각 소리가 공기를 가르기가 무섭게, 대련이 시작되었다.

***

대련이 시작되었다. 나는 대련장을 무표정하게 바라보았다. 이번에도 결과는 같겠지. 아무리 물러 보여도 저 사람은 한 모험사단을 이끄는 사람이니까. 카멜리아 스노우. 대탐험시대 초창기의 영웅들에 가려져 빛을 보진 못했지만, 업계에서는 유명한 사람이다. 원래는 왕가 산하의 탐험단에서 북해를 탐험하던 중, 정치와 모략에 질려 스스로 떠난 우리 모험단에 들어온 사람이다. 그가 여태껏 떠났던 모든 모험이 지금의 세상을 만들었다. 그런 훌륭한 사람이지만, 내게는 지금까지 수많은 사랑스러운 일꾼, 아니, 신입을 꺾어버린 악독한 사람이다. 이런 잔인한 사람!

호각이 울자마자 72번이 사단장에게 달려들었다. 아하, 선수 필승이라. 좋은 판단이지. 가만히 서 있기만 하면 죽도, 밥도 안 된다구? 72번이 허리를 한껏 비틀어 정권을 내질렀다. 아니, 저걸 정권이라 표현해도 괜찮은 걸까? 상당히 실전다운 움직임이었다. 주먹이 막히자 회전을 이용해 발차기하고, 손목이 잡혀 끌려가니까 되려 반격하고, 흠, 길거리 싸움? 흙바닥이었으면 흙도 뿌렸겠는걸?

생각하자마자, 72번이 흙을 쥐려는 듯한 동작을 취했다. 얼씨구. 여기

바닥 싹 깔아놨는데. 자기도 하면서 아차 싶었는지 당황한 낯을 애써 감추려는 모습이 눈에 훤히 보였다. 사단장이 건수를 하나 잡았다는 듯이 씨익 웃었다. 그리고, 당황한 72번을 잡아 엎어 쳤다.

쿵!

…쟤 허리 괜찮으려나. 자욱한 먼지가 걷히고, 정신을 잃은 72번과 사단장이 보였다. 사단장은 새 장난감을 받은 어린아이처럼 환한 웃음을 짓고 있었다. 오, 설마.

"난 얘 맘에 든다!"

…제대로 걸렸구만. 딱한 청년이로다. 으하하 웃는 사단장을 뒤로하고 서류를 작성했다. 어디 보자…, 여깄다. 72번.

***

낯선 천장이다. 익숙한 집의 것도 아니고, 하루 묵은 여관의 것도 아닌 것. 흰 벽지로 깔끔하게 마감돼있는 천장. 무슨 일이 있었던 거지? 황급히 몸을 일으키려 했는데,

"어억, 아, 허, 허리- 아, 아…."

소리지를 수밖에 없는 고통이 찾아왔다. 상당히 오랫동안 누워있었던 것인지, 근육이나 상처를 입은 곳의 고통보다 허리 관절의 고통이 먼저 찾아왔다. 그리고 내 소리를 들었는지, 문이 벌컥 열렸다.

"렉시?"

"아버지?"

성큼성큼 걸어 들어온 아버지가 나를 와락 껴안았다.

"너, 하루 동안 꼬박 누워, 있었어. 보호자를 찾는 소식을 듣고, 얼마나 놀랐는지 아니? 제발…. 난, 이제 무언, 가를 더 잃는 게, 두렵단다. 너무 두려워. 혹자는 인간이, 고통을 통해 성장한다고 하는데, 나는, 나에게는, 그게 그저 아픔뿐이어서, 그러니까, 그래서, 너만큼은, 너는 아프지, 않았으면 했는데, 네가 정말 다친, 모습을 보니까, 심장이, 심장이 쿵 떨어진 것 같아서…."

아버지의 목소리는 물에 잠겨있었다. 먹먹하게 물기가 어린 것이 여실히 드러났다. 그리고 아버지의 마음이 여실히 드러났다. 물그림자가 드리우고, 빛이 산란하여 그동안 아름답다고 생각했던 아버지의 것은 사실, 꺼내어보면 한없이 평범하기 그지없는 것이라서, 남과 다를 것이라 생각했던 그것이 실은 범인의 그것과 전혀 다를 바 없는 것이라서, 나는, 울고 싶어졌다. 상실은 누구에게나 평등한 것이구나. 전쟁으로 쌓아 올린, 전쟁으로 이루어진 이 세상은, 상실의 시대나 다름없었다.

나를 끌어안은 채 계속 중얼거리는 아버지의 손이, 정말 형편없이 떨리고 있었다. 지금 아버지는 여기 있으나 여기 자리하지 않았다. 아버지의 의식은, 아직 그곳에 머물고 있었다. 과거와 현실의 이질감. 이를 달래주기 위해 나도 아버지를 안았다. 마냥 크게만 보이던 그 등은, 내가 안을 수 있는 등이었다. 나도 입이 열리는 대로 사과를 늘어놓았다.

"아, 그, 죄송해요, 정말. 진심으로, 걱정할 일 없게 하겠다 말씀드렸는데, 이렇게 되어서 정말, 죄송해요, 죄송해요, 아버지."

사과를 늘어놓길 한참, 드디어 진정이 되셨는지 아버지가 아까보단 안정된 목소리로 말을 이어갔다.

"…일어났으니 되었어. 다, 음부터. 다음부터만, 이런 일 없게 해주렴.

응?"

"네, 물론이지요. 다음부터는 조심할게요. 매 순간 아버지를 생각할게요. 염려 마세요."

우리는 그렇게 서로를 꺼안고 있었다. 그리고 있을 예정이었다. 의사가 문을 열고 들어오지만 않았다면 말이다.

"이제 검진해도 됩니까? 어휴, 보호자 분, 아무리 외동딸이라고는 해도 그렇게 뛰쳐나가시면 안 되지요."

"아, 그, 죄송합니다."

"에에. 사과할 일은 아니고요, 일단 환자분, 몸에 별다른 이상은 없어요. 그, 듣기로는 돌바닥에서 엎어 쳐졌다고요?"

"네엡."

"그때 받은 충격 때문에 기절한 것 빼곤, 이상이 없네요. 그래도 혹시 모르니 이번 밤까지는 보내고 퇴원하세요."

"네, 감사합니다."

의사가 방을 나섰다. 드디어 가시방석 같은 머쓱한 기분에서 벗어날 수 있었다. 그리곤 아버지와 시간을 보냈다. 이야기도 나누었고, 수도에서 유명한 식당에서 포장해온 음식도 먹었다. 그리고, 밤이 되었다. 침대에 누워서, 보호자 침대에 누우려 하는 아버지께 질문했다.

"그, 제가 하루 동안 누워있었었지요?"

"그래, 정확히는 하루 하고도 반나절이란다. 어디 결리는 곳은 없고?"

"어, 허리가 조금 쑤시긴 해요. 그런데, 시간이 얼추 지났는데 시험 결과가 나왔을까요…?"

나는 눈치를 보며 말했다. 아버지는 순간 울컥한 표정을 지으셨다가

한숨을 폭폭 내쉬며 감정을 갈무리하셨다.

"후우⋯. 결과, 나왔지. 합격이란다."

입술 사이에서 나온 내용은 생각보다 충격적이지 않았다. 어쩌면 예상하였을지도 모른다. 어쩌면 내 머릿속에서 수만 번은 상상했던 그 장면이라 감흥이 오지 않은 것일지도 모른다. 어쩌면 역치 이상의 자극이라 아직 수용되지 않은 것일지도 모른다. 그런데도 바뀌지 않는 사실은,

"⋯우와. 진짜 합격했네요, 실감이 안 나요."

"나도 그랬단다. 합격 축하한다."

내 꿈에 한 발짝 더 가까이 다가갔다는 사실이다. 드디어.

제3장 사어한 진실

내가 깨어나고부터 또 다른 일주일이 지나갔다. 그 일주일은 고향의 집을 정리하고, 그간 신세를 졌던 이웃들에게 인사를 건네고, 몸을 치료하며 보냈다. 모험 조심히 다니라며 당부를 건네는 이웃도 있었고, 아이스티 한 잔을 건네며 올라가며 마시라 하는 이웃도 있었다. 평범한 후의가 이렇게나 반가울 수가 없었다.

그리고 오늘은, 모험단에 적을 두는 날이다. 내가 그리로 가버리면 아버지는 어떻게 할 요량이냐 여쭤보니,

"규모가 있는 모험단들은 부지에 단원의 가족을 위한 시설을 마련해둔단다. …너, 모험 떠날 생각만 하고 아비 생각은 일절 하지 않은 게야?"

…라며 괜한 핀잔을 들었다. 힝.

가죽으로 된 여행용 가방을 들고 모험단으로 향했다. 이번에는 공용 마차가 아니라 개인 마차에 탔다. 어딘지 모르게 싱숭생숭한 기분이 들었다. 이제 막 도착했을 때는 공용 마차를 이용했는데, 이제는 개인 마차를 이용한다니.

단원 가족용 건물 앞에서 아버지와 헤어지고 단원 전용 숙소로 향했다. 그곳에는 익숙한 얼굴이 기다리고 있었다.

"녹스 씨. 합격하셨네요. 그럴 줄 알았지요."

"일찍 오셨나 봐요. 여전히 해맑으시네요."

"흐, 그게 제 매력이죠."

포르네우스 씨는 그리 말하며 뻔뻔스럽게 턱받침을 괴었다. 이렇게 갑자기 거리감이 좁혀져도 괜찮은 건가?

"이제부터는 같은 숙소를 쓰겠네요."

"그러게요. 조금 늦었나 싶긴 한데, 호칭 편하게 할까요?"

"좋아요. 다시 한번 잘 부탁드립니다, 애런."

"저야말로, 렉시카."

바보같이 주거니 받거니 대화를 이어나가는 우리의 뒤로 그림자가 드리웠다.

"뭐야, 신입들이잖아아?"

그리고 나와 애런에게 어깨동무를 했다. 누군가하고 보니 내 대련 상대였다.

"사이가 좋은 모습을 보니 좋네에. 운이 더 따라주는 느낌이야…."

"안녕하세요."

"안녕 못해…. 너희가 들어왔으니 이제부터 일이 산더미처럼 쏟아질

거란 말이야아…."

"오, 그것참 슬퍼할 일이네요. 그런데 혹시 성함이 어떻게 되시나요?"

"나는 카멜리아 스노우. 앞으로 너희가 소속될 사단의 사단장이야아."

사단장? 그 정도 지위의 사람이 왜 아무렇게나 돌아다니는 거지? 심지어 실기 대련 같은 잡일에까지 동원돼? 나는 뜨악한 얼굴로 뒤돌아봤다.

"잘 부탁한다, 꼬마 부품들아."

꼬마라니. 엄연히 성인인 사람들한테. 그가 씨익 웃었다. 조금 전까지의 귀찮음은 싸악 날려버린 듯한 웃음이었다.

"자, 이제 기초적인 것부터 배워보자!"

***

스노우 사단장은 우리를 가르쳐줄 선배를 불러왔다. 그의 이름은 유진 그린우드, 우리보다 1년 조금 못 되게 먼저 소속된 사람이었다. 그가 말했다.

"우리는 땅에 소속된 사람이야. 바다에 나가도 갑판에 붙어있어야 하고, 하늘을 날아도 비행선에 꼼짝없이 갇혀있어야 하지. 그러나 우리는 땅에 구애받아서는 안 돼. 하늘은 온통 미지로 가득 차 있어. 우린 그 광활한 공간을 마음껏 누빌 수 있어야 해. 그래서 우리는, 인간은, 방법을 찾았어. 바로 이거야!"

그가 군장같이 생긴 가방을 들고 왔다. 군장에는 긴 끈 한 쌍이 달려있었고, 그 끝에는 등자같이 생긴 무언가가 있었다. 애런이 내게 속삭였다.

"어, 저만 영 못 미더워 보이나요?"

"아무리 허접해도 밀랍으로 만든 날개보다는 낫겠지요."

"뭐야, 왜 쑥덕이고 있어? 궁금한 게 있으면 나한테 말해. 편하게."

"이게 그 방법인가요?"

"물론이지! 이건 '오토'라고 하는 거야! 이걸 사용하면 하늘을 마음껏 누빌 수 있어. 뭐, 대기 중의 공기를 빨아들여 톱니바퀴를 미분하느니 적분하느니 하고 공돌이들이 떠들던데, 자세히 알고 싶으면 저 안쪽에 있는 범생이들한테나 찾아가 봐. 우리는 현장직이라서 자세한 원리는 몰라."

"음… 그다지 알고 싶진 않네요."

"그렇지? 흐흠, 어쨌든 이걸 등에 메고 이 발판, 아 혹시 너희 말 타봤어? …오, 이 어색한 침묵이란! 아무도 안 타본 모양이구나. 그럼 말고, 계속하자면 이 발판에 나중에 보급될 전용 부츠 굽을 잘 맞춰서 끼우면 끝이야. 오른쪽 발판을 밟으면 왼쪽에서 공기가 나오고 왼쪽 발판을 밟으면 오른쪽에서 공기가 나와. 왜 이렇게 번거롭게 만들었나 몰라. 하여튼, 비행법은 이게 끝이야. 처음에는 좌우 반전 때문에 조금 헷갈릴 수 있지만, 파이팅! 열심히 해보자."

나와 애런은 쏟아지는 그린우드 씨의 말 속에서 유의미한 정보만 쏙쏙 걸러들었다. 상당히 말이 많은 사람이었다. 우리는 그린우드 씨가 시키는 대로 계단 위에 올라섰다. 여기서 앞으로 향하면서 발을 디디면 된단다.

"으음, 이건 처음 해보는데. 얼마나 세게 밟아야 할지 감도 못 잡겠는

걸요."

"흐흐, 신입들은 다 그러더라. 괜찮아! 원래 몸으로 익히는 법이지!"

그린우드 씨가 엄지를 척 내밀며 말했다. 괜찮은 건가, 이 집단. 이런 사람이 선배로 있어도 괜찮은 건가.

묘하게 꼰대 분위기를 풍기는 그린우드 씨를 애써 흐린 눈으로 바라보았다. 나와 애런은 서로를 동질감 어린 눈으로 바라보았다.

"자, 셋을 세면 동시에 밟아봐."

하나, 둘, 셋!

그리고, 하늘을 마주했다. 그럴싸하게 포장했지만, 결론은 그거다. 급발진했다. 판화로 그린 듯이 휘익 하는 효과음과 함께 하늘을 날았다. 밑에서는 우왕좌왕하는 목소리가 들려왔다. 애런은 잘했나 보군. 젠장, 쪽 팔리게 됐네. 나는 그림으로 그린 듯이 우아하게 포물선을 그리며 낙하했다. 온 세상이 느리게 흘렀다. 어라, 아인슈타―

쾅!

숨이 턱 막혔다. 등으로 착지를 한 탓이다.

"케―헬록, 컥, 흐어―"

"아이고! 괜찮아?!"

"렉시카, 안 괜찮은 것 같은데요. 그린우드 씨, 제가 의무원을 불러올까요?"

"콜록, 애, 애런, 켁, 그럴 필요는 없어요, 허억."

"너 지금 전혀 안 괜찮아 보이는 거 알아?"

"음, 그린우드 씨와 제 '괜찮다'라는 기준이 다른가 보지요."

두 사람이 나를 못마땅한 눈으로 쏘아보았다. 어딘지 모르게 아버지가 생각나는 눈빛이었다. 잘못한 것이 없는데도 괜스레 눈을 피하게 되었다.

"너무 일렀으려나… 미안해, 내가 너무 성급하게 진행했나 봐."

"아니요, 괜찮아요. 제가 조절을 못 한걸요."

"그렇다면야."

그가 쓴웃음을 지으며 말했다.

"너희는 1년 후에나 모험을 떠날 테니까. 그때까지는 조절할 수 있겠지. 여러모로 도와줄게."

네? 1년이오? 나는 어안이 벙벙한 얼굴로 애런을 바라보았다. 마치 거울을 보는 듯한 낯이었다. 나와 애런이 그린우드 씨에게 따져 묻는 소리가 훈련장을 가득 채웠다. 겨울이었다.

***

황당한 진실을 알게 된 날로부터 6개월이 지났다. 정말 많은 일이 있었으나, 전부 서술하기에는 나의 정신건강에 이롭지 아니하므로 간추려서 설명하겠다. 나와 애런은 쉴 새 없이 굴렀다. 진창에서 구르고, 맨땅에서 구르고, 여기서 구르고, 저기서 구르고…. 하도 구르다 보니 나와 애런 사이에는 무언가의 동질감이 생겼다. 말도 편하게 놓았다. 역시 그럴 줄 알았지만, 나보다 나이가 많았다. 그리고 위안 삼을 구석이 있다면 하늘을 나는 것에 익숙해졌다는 것이다. 밤낮을 가리지 않고 구르다 보니 새벽에 가로등 불을 갈러 오는 일꾼마저 우리의 얼굴을 외울 정도였다. 오늘도 좋은 새벽이네요. 아, 예. 새벽마다 고생이 많으십니다.

오늘은 주 무기를 정하는 날이다. 여러 무기를 사용해보고 가장 잘 맞는 무기를 고를 예정이다. 세상에, 6개월이나 지나서야 무기를 다루다니…. 감개무량하네. 나와 애런은 엉망인 몸을 겨우 이끌고 무기고로 향했다.

"오야, 신입들 왔어어?"

"입단한 지 6개월이 넘었는데 신입이라뇨…."

"으하, 제일 마지막에 들어왔음 신입이지이."

"너무하네요. 그리고 옛날부터 생각한 건데, 사단장이 이런 일에 나서도 괜찮은 거예요?"

"일에 귀천이 있나. 노는 인력이 해야지이."

의외다. 생각보다 제대로 된 사람이었잖아?

"허얼씨구, 표정 봐라. 나는 말이야, 으이? 표정만 봐도 척! 하면 척! 이야!"

"오…. 그럼 이제 무기를 골라볼까요?"

"렉시, 말 돌리기가 익숙하네."

"쓰읍, 쉿!"

어이없다는 듯이 바라보는 사단장을 무시하고 쌓여있는 무기들로 향했다. 정말 다양한 종류의 것들이 쌓여있었다. 아쉽게도 '신비'에 관련된 무기는 없었지만, 무기 종류도 상당히 다양했고 보존 상태도 여러모로 다양했다.

"…이거 쓸 수 있는 거 맞아요?"

"적을 파상풍으로 말려 죽이려는 고도의 작전인가요? 획기적이네요."

정말 다양했다.

"이 자식들이…."

딱!

"아야! 아파요."

"짜식들이, 엄살은. 자, 무기나 골라봐라."

사단장님이 내 머리칼을 헝클어뜨리며 말했다.

"아잇, 참. 전 곱슬이란 말이에요. 오늘 아침만 해도 붕 뜬 머리 가라 앉히느라 얼마나 애썼는데."

"곱슬이야?"

사단장님은 무언가 생각해낸 눈치였다.

"으하하하! 이리 와! 더 헝클여주마!"

"흐아아, 이러지 마세요!"

엉망진창으로 쓰다듬당했다. 간신히 탈출해 무기들을 유심히 살피는 애런에게 말을 걸었다.

"애런, 뭐로 할지 생각해둔 거 있어?"

"음, 아무래도 칼이 정석적이고 좋지 않을까? 처음 보는 무기들은 바로 적응하기도 어렵고, 가장 익숙한 칼이 나을 것 같은걸."

"그렇구나⋯. 기준을 미리 정해뒀네."

애런은 은색의 레이피어를 집어 들었다. 관리를 잘 받았는지, 빛이 비칠 때마다 창백한 푸른 빛이 반짝였다. 그렇다면 나는 무엇이 좋을까. 아무래도 안정성이려나. 리스크가 크지만 빨리 처리할 수 있는 것보다는 차라리 시간이 오래 걸리는 대신 확실히 처리할 수 있는 무기가 좋을 것 같은데. 그렇다면⋯.

"사단장님. 요 컴파운드 보우는 어떨 것 같아요?"

"음, 좋은 무기지이. 그런데 네 성격상⋯ 쏜 화살이 다 빗나가서 온갖

성질을 내면서 활을 활이 아니라 둔기로 사용할 것 같은거얼. 게다가 그
거, 관리하기도 힘들어. 돈도 많이 드는 거얼. 전용 화살까지 따로 있어
가지구우. 차라리 총이 낫지 않을까 싶은데."

"활은 추천하지 않으시면서 총을 추천하시네요."

"그야, 웬만하면 평타는 치거드은. 관리도 쉽고, 비교적 매물도 많고."

"그렇다면 이걸로 하지요!"

나는 총을 집어 들었다. 상아색 몸체를 가진 장총이었다. 금색의 우아
한 문양이 몸체에 각인돼있다. 도금이겠지?

"좋아. 모두 무기를 골랐으니, 앞으로는 그거에 관한 정보를 알려줄 거
야. 그걸 참고해서 훈련하도록 해. 그럼, 오늘은 이만 해산!"

이걸로 끝? 이렇게 얼레벌레 돌아가도 되는 거야? 6개월이 넘게 있었
지만 역시 이 탐험단, 적응되지 않는다.

***

무기를 받은 지도 어느덧 6개월이 지났다. 이 기간 역시도 정말 많은
일이 있었지만, 역시나 나의 정신건강을 위해 굳이 서술하지는 않겠다.
간추려서 설명하자면, 역시나 굴렀다. 훈련 관련해서도 구르고, 탐험 나
갔던 선배들이 돌아와서 환영회 준비하느라 또 굴렀고… 하여튼 굴렀다.
이젠 그만!

그리고 오늘은 정말 중요한 날이다. 바로, 입단한 지 1년이 되는 날이
다! 얏호, 드디어 탐험에 나갈 수 있어! 희희낙락하며 아버지를 뵈러 향
했다.

"아버지! 드디어 탐험에 나갈 수 있어요!"

"그것참 잘 됐구나. 네 꿈에 더 가까이 다가갔는걸."

"히히, 그래서 말인데…. 권능과 관련된 이야기를 더 들을 수 있을까요? 옛날에 그 대략적인 종류만 듣고서 끝이었는데, 이제는 아버지의 권능에 관해서도 들어보고 싶어요."

나는 아버지의 금색 눈동자를 바라보았다. 옛날에 모험가가 되겠다며 뛰쳐나갔던 젊은 청년과, '권능'까지 얻을 정도로 출세했으나 환멸을 느끼고 뛰쳐나온 어리숙한 청년과, 나를 말리던 중년이 겹쳐 보였다. 참 올곧은 사람이었다.

"그래. 이 정도면 알려줘도 괜찮겠지."

아버지는 저번에 설명할 적에 사용했던 예의 그 종이를 들고 오셨다. 버리지 않으신 건가? 그리고, 한 계열을 가리키셨다.

"나는 제 십삼의 신, 시간과 관련된 4급 권능을 가지고 있단다. 아, 권능을 가진 '권자'는 9개의 등급으로 나뉜단다. 우리는 권능을 내려준 '신'을 1급 권자로 여기지."

아버지는 목덜미를 만지작거렸다. 마치, 옛날에 걸고 다니던 목걸이를 만지작거리는 것처럼.

"내게 다른 계열의 신비적 결정을 가지고 있었다면 좋았으련만, 고향으로 돌아올 적에 전부 처분해버리고 없구나."

아하. 그간 사용했던 돈의 출처가 신비적 결정이었구나. 어쩐지, 일을 안 하는 것 치고는 수상할 정도로 돈이 많긴 했어.

"괜찮아요. 제가 여행하면서 찾는 것이 제일인걸요. 최대한 이동과 관련된 권능으로 찾아볼게요."

"몇 년 전 일인데 아직도 기억하는 거니?"

"'신비'와 관련된 이야기인걸요. 터럭 하나도 놓치지 않고 새겨들어야지요."

"하하, 그래. 그 정도의 의지는 있어야지."

"아, 그리고 아버지. 드릴 말씀이 있는데-"

그때였다. 건물에 설치된 회선을 통해 연락이 왔다.

'스노우 사단 소속의 모험가는 사단장실로 와주시길 바랍니다.'

"오, 이런. 아버지, 아쉽지만 이제 가봐야 할 것 같아요. 나중에 다시 여쭤봐도 괜찮을까요?"

"그러려무나. 매일 얼굴 보며 사는데 뭐가 아쉽니. 가보렴. 항상 몸조심하고."

아버지께 인사를 드리고 밖으로 나섰다. 드디어 탐험을 떠나는 건가? 가슴이 두근두근 뛰기 시작했다.

***

"안녕하세요. 스노우 사단 소속 모험가 렉시카 녹스입니다. 호출하셔서 왔습니다."

"오야, 왔어어?"

안으로 들어가자 나와 애런 외의 단원들도 한껏 모여있었다. 사단장이 입을 열었다.

"오늘 부른 것은 다름이 아니라 모험의 목적지 때문이야. 신입들이 들어온 지도 어느덧 1년이 다 지나서 모험을 떠날 때가 왔지이. 정말이지, 많은 고뇌가 있었어어."

사단장이 지도를 가리켰다. 정확히는 검은색으로 칠해진 부분을. 그리고 평소의 귀찮음을 싹 걷어낸 어투로 말했다.

"'신비'를 탐구한 지 정말 오랜 시간이 지났지만, 아직 이 땅에는 많은 '신비'가 남아있어. 아직 인류는 미지를 정복하지 못했고, 계속 공포에 떨고 있지. 그리고 모험가들이 가장 많은 주의를 기울이는 장소는 '바다'야. 저 깊은 바닷속, 저 드넓은 망망대해 위에는 무엇이 있을까? 많은 시선이 쏠리는 만큼 경쟁은 치열하지. 그렇기에 우리는 틈새시장을 노리는 거야."

사단장이 지구본을 핑 돌렸다. 그리고 턱, 멈추었다.

"북극과 남극. 그중에서도 북극. 이번 모험의 목적지는 북극이다. 일말의 정보라도 있는 바다와는 다르게, 극은 아무런 정보가 없어. 모두가 바다에 집중하느라 극에는 신경도 쓰지 않았지. 조금은 신경을 쓸 법도 한데 말이야. 여하튼 미리 말하는데, 그곳에는 우리 인간이 상상하지 못했던 풍경이 펼쳐져 있을 수도 있어. 우리의 상식을 우롱하는 것이 '신비'이니까. 굳이 예시를 들어보자면, 우리가 흔히 쓰는 관용구처럼 돼지가 하늘을 날아다닐 수도 있지. 말 그대로의 의미로 말이야."

사단장님이 좌중을 한 바퀴 둘러보았다. 한 명, 한 명, 시선을 맞추고 뜻을 전했다.

"나는 너희와 함께, 신비로운 동시에 위험한 미지의 세계를 탐험하고자 한다. 각오는 되어 있나?"

"당연하죠!"

"네!"

"물론이에요!"

모두가 일사불란하게 답했다. 이 땅의 양극단. 그중 하나를 탐사하러 떠난다. 어린 시절부터 꿈꿔왔던 모험을, 드디어. 가슴이 퍽 먹먹해졌다.

***

모험지가 결정되자마자 다시 아버지에게로 향했다. 북극이라니! 그 근방의 북해에 다녀왔던 아버지라면 유의미한 조언을 건네줄 수 있을 것이다.

"아버지. 모험에 나가게 됐어요. 북극에 간다는데, 얼마나 걸릴지는 잘 모르겠네요."

"극에 간다고? 옷 따뜻하게 입고 다니렴. 북해만 해도 매우 추운데, 그 위는 얼마나 더 춥겠어."

"흐흐, 안 그래도 옷 좀 많이 사두려고요."

나는 그리 말하며 여행용 가방을 꺼냈다. 가방이 배고프다는 듯이 입을 쩍 벌렸다. 나는 아버지의 말씀을 들으면서도 가방에 여러 짐을 던져 넣었다.

"음, 옳거니. 그리고 만약 그곳을 자유롭게 탐사할 기회가 주어진다면 주위를 주의 깊게 살피렴. 바람이 인간의 원성처럼 섧게 부는 곳에는 항상 특별한 기운이 모이기 마련이니."

"그 말은… 신비적 결정을 얻을 수도 있을 거란 뜻인가요?"

"그래. 어느 계열이든 없는 것보다는 나으니. 아차, 그리고 저번에 때가 좋지 않아 하지 못했던 말 있잖니. 그것 물어보렴."

나는 짐을 챙기던 걸 멈추고 아버지를 쳐다보았다. 안 그래도 눈치를 보고 말을 올리려 했는데, 이렇게 먼저 말을 올려주시다니.

"그, 제 동기 있잖아요. 밀색 장발을 가진 남자."

"아, 그, 이름이 애런이었나?"

"네. 인제 와서야 말하는 거지만, 아무래도 권자인 것 같아요. 마주 볼 때마다 계속 불안한 기분이 드는걸요. 그런데 어느 계열인지는 도통 알 수 없어서요. 권자인데 제 또래라는 것은 정말 드문 일일테니 속임수 경로일 것 같기도 하고, 아니면 다른 경로인데 수용물을 이용하는 것인지 말이에요."

"그 청년이 평소 하는 행동거지를 보건대, 아마 운명 계열의 8급 권능을 가지고 있는 것 같구나. 아직 권자들을 많이 만나보지 않았으니 알기 힘들었을 거야. 권자라는 걸 눈치채고 이렇게 경우의 수를 생각하는 것만 해도 충분하단다."

"오, 세상에."

그러니까, 8급 권자가 수용물까지 들고 면접까지 봐가면서 이 탐험단에 잠입했다고? 왜? 그럴 이유가?

"그렇다면 애런은 무엇을 위해 이렇게까지 하는 걸까요?"

"거기까지는 잘 모르겠구나. 그저 추측만 할 뿐이야. 그가 속해있는 종교, 그러니까 원래 조직에서 명령이나 예언이 내려왔을 수도 있지."

상당히 충격적이다. 내 옆에 있던 사람이 실은 운명을 결정지을 수 있는 정체불명의 사람이라니. 오싹하다. 온몸에 소름이 타고 흘렀다. 올해의 시험부터 실기 방식이 달라진 것도, 나에게 다가온 것도, 같이 훈련하며 스스럼없는 사이가 된 것도, 그와 함께 한 모든 순간이 단지 잘 꾸

며져 보기만 좋은 것이었을 수도 있다는 사실이, 모두 그, 혹은 그가 속한 집단이 설계한 것일 수도 있다는 사실이, 내가 보인 모든 선의와 감정이 그에게는 단지 허울일 수 있었다는 사실이, 너무 끔찍했다. 나는 감정을 주고받기를 원하는데 어찌하여 거짓의 베일이 눈을 가리는 것일까. 차라리 다른 계열이었으면 충격이 덜했을까? 내 자유의지를 부정당하는 기분은, 누군가의 손 위에서 노니는 기분은 정말이지, 비참했다.

"그, 아버지…."

"알아. 놀란 것도 다 이해해."

아버지가 나를 끌어안아 주셨다. 모험을 떠나기 전, 대원들에게는 일주일의 휴가가 주어진다. 원래는 여러 준비물을 사고, 마지막 점검을 하려 했으나. 지금은 그냥. 그냥, 가만히. 가만히 있는 게 나을 것 같다.

나는 아버지를 마주 안았다. 아버지의 품은 퍽 포근했다.

제4장 능운의 르상티망

일주일이 지났다. 시간이 어떻게 지나갔는지 기억도 나지 않는다. 정신을 뺀 상태로 멍하니 시간만 죽였던 것 같다. 애런이 운명 계열의 권자라는 사실을 알았지만, 실질적으로 변화한 것은 없었다. 아무리 생각해 봤자 애런이 권자라는 사실은 변하지 않았고, 그가 내 동료라는 사실 역시 변하지 않았다. 내 상태가 어떻든 간에 나는 모험단에 소속된 상태였다. 내가 모험에 나서야 한다는 사실도 변하지 않았다. 불변하는 그 사실이 불편했다. 몽몽한 정신과 육신을 이끌고 걸음을 옮겼다.

"아버지. 다녀올게요."

"…괜찮은 것 맞니? 상태가 좋아 보이진 않은걸."

나는 쓰게 웃었다. '신비'의 존재를 앎에도, 아직 나와는 머나먼 이야기라 생각했다. '신비'는 그 정의만큼이나 미지에 싸여 있다는 사실을

간과했다. 내 잘못이었다.

"고배를 마신 셈 치려고요. 제가 경계심이 부족했어요."

"네가 그렇다면야. 가기 전에 한마디만 하마. 과거를 관조하되, 너 자신을 책망하지는 말렴. '신비'는 마음의 빈틈을 거쳐 인간을 장악한단다. 네가 부디 감정에 잡아먹히지는 않았으면 한단다."

과거를 더듬는 듯한 어조였다. 나는 감각적으로 저것이 경험에서 우러나오는 말이라는 것을 알아차렸다. 나는 아버지를 바라보았다. 시선과 시선을 맞대었다. 말하지 않아도 전해지는 것이 있다. 이것 또한 그러하리라 생각했다. 이윽고 시선을 떼고 어두를 떼었다. 마지막 인사를 건네었다. 다녀오겠습니다.

**

선착장에는 비공정 여러 대가 대기하고 있었다. 내가 조금 일찍 도착한 탓인지, 수많은 사람이 분주히 준비하는 모습을 볼 수 있었다. 이렇게 많은 사람이 도와줘서 내가 모험을 할 수 있는 거구나. 새삼스럽게 깨달았다. 바쁜데 갑자기 다가가면 실례니까, 마음속으로라도 간략하게 감사를 전했다.

"렉시카, 일찍 왔네에? 여역시 신입이라서 성실한거얼?"

"아, 안녕하세요, 사단장님. 역시 첫 모험이라서 그런가, 일찍 오지 않고는 못 배기겠더라고요."

이윽고 다른 인원들도 하나둘씩 도착했다. 애런… 역시 도착했다. 애써 평소처럼 행동하려 했지만, 운명 계열의 권자라면 필시 이상함을 눈치챘을 것이다.

생각이 꼬리에 꼬리를 물고 이어지려 했으나, 칼 같은 바람이 매듭을 뚝 끊었다. 아무리 정신이 피폐해도 가혹한 자연의 앞에서는 소용이 없었다. 순식간에 얼굴이 따끔따끔해지는데, 저런 상념이 중요할까. 비공정에 오르자 바람이 더 거세졌다. 휘익 휘익 울려 퍼지는 바람 소리가 마치 사람의 비명 같았다. 그래도 눈에 담기는 풍경은 아름다웠다. 도시 특유의 탁한 공기와 컴컴한 연기 아래에서 벗어나니, 맑고 청명한 하늘이 자리를 잡고 있었다. 이제부터 여길 자유롭게 누빌 수 있다니. 나는 그 푸른 공간에 첨벙- 하고 빠졌다.

"하늘이 참 예쁘지 않니."

"아, 애런."

"땅에서 단 오천 미터만 올라가도 이런 하늘이 펼쳐지는데. 평생을 검은 하늘 아래에 갇혀있었다니, 아쉽지 않아?"

"그러게. 모두가 이 풍경을 볼 수 있으면 좋을 텐데."

내 말을 끝으로 적막이 사이를 가로질렀다. 바람 소리가 들리긴 했으나 고요함에 비할 바는 아니었다. 공백의 사이에서, 나와 애런은 그렇게 서 있었다.

"있지, 나도 모두가 이 풍경을 볼 수 있으면 해. 뭐, 귀족들이야 유람용 비공정을 타고 여러 군데를 돌아다니지만… 여유는 귀족의 전유물일 뿐이지."

그리고, 애런이 공백을 메우기 시작했다. 하늘의 푸른 빛을 난반사하는 보석들을 주렁주렁 달고 있는 사람이 할 법한 이야기는 아니었지만 말이다. 나는 계속해보라는 뜻의 시선을 보냈다.

"평민들, 아니, 하다못해 중산층마저도 평생 검은 하늘 아래를 벗어나지 못해. 그들은 애초에 '하늘색'이라는 단어가 왜 연한 푸른빛을 의미하는지도 모르고 산단 말이야. 세상에, 웃기지도 않지. 자연으로부터 온 존재가 자연을 알지 못하다니."

"그렇다면, 너는 자연을 위해서 모험을 하는 거야?"

자연을 위해서 나를, 탐험단을 속이고, 모두를 기만했던 거니? 애써 뒷말을 삼키고 물었다.

"물론. 이런 시대에 사람의 손을 타지 않은 자연이란 매우 귀하잖아. 그래서 북극으로 탐사하러 간다는 말에 엄청나게 들떴지 뭐야."

"그러게. 북극에 뭐가 있을지 상상도 가지 않는걸."

"눈이 가득 덮인 창백한 공간일 수도 있겠지. 순수한 흰색으로 물든."

"아니면 의외로 옛 인류가 닿았던 장소일 수도 있겠네. 뭐, 얼음으로 꽁꽁 싸매어진 신전이 있다든가 하는."

그리고, 눈이 멈추었다. 아니, 멈춘 것처럼 보였다. 지평선 아래에서 움트는 태양에 맞추어 온 하늘의 눈이 얼어붙어 보석처럼 반짝였다. 온종일 곤두세우고 있던 신경마저 조금 누그러질 정도로 아름다운 풍경이었다.

"…이건?"

"책에서만 읽었는데, 아마 다이아몬드 더스트같아."

그런데, 잠깐.

"애런. 지금 기온이 몇 도 정도지?"

"지금? 얼추 영하 15도 정도 될 것 같은데. 아까 해도 뜨기 전보다는 따뜻해."

"있지, 내가 알기로는 다이아몬드 더스트는 영하 수십 도는 되어야 발생하는 현상이야. 영하 15도는 영하 수십도라고 하기에는 조금 어폐가 있을뿐더러, 날씨가 따뜻해졌는데 이런 현상이 나타난다는 것 자체가 어불성설이야. 애런."

"응. 확실히 이상하네. 얼른 사단장님께 알려야겠어."

우리는 얼른 선내로 향했다. 선내는 바삐 움직이는 단원들로 북적였다. 모두 모험 경험이 있어서 그런지 대처가 빨랐다. 그리고, 비교적 친분이 있는 그린우드 씨가 말을 걸어왔다.

"뭐야, 너희 어디 있었어? 신입들 없어졌다고 한참을 찾았잖아."

"아, 밖에서 얘기 좀 하고 있었는데, 갑자기 다이아몬드 더스트가 보이길래 이상하다 싶어서 들어왔어요."

"어휴. 딱 맞춰서 들어왔네. 이제 사단장님께서 브리핑해주실 테니까 잘 들어."

자연스럽게 사람들의 시선이 쏠리는 방향으로 고개를 틀었다. 시선이 향한 곳에는 사단장님이 보고받은 내용을 읽으며 알 듯 말 듯한 표정을 짓고 있었다. 저 표정은 골치 아프게 되었다는 표정일까, 잘 되었다는 표정일까.

얼마 지나지 않아, 사단장님이 단상에 올랐다. 그리고, 평소의 늘어지는 말투와는 다르게, 또박또박 강렬하게 말을 시작했다.

"카멜리아 사단 소속 단원들에게 알린다. 지금으로부터 약 5분 전, 우리는 한 공중신전의 영역에 진입했다. 영역에 진입한 이후로 기온과 맞지 않는 기상 현상 등이 관측되었다. 이에, 제 일의 신 혹은 제 팔의 신과 관련된 신전일 가능성이 크다는 판단을 내렸다."

제 일의 신, 제 팔의 신. 불과 속임수를 다루는 신들이다. 속임수라. 슬쩍 애런을 쳐다보았다. 얼굴에 별다른 동요가 일지는 않았다. 그렇다면 제 팔의 신은 아닐 가능성이 꽤 된다는 것인데. 가만, 다른 사람들도 이걸 알고 있나? 고개를 주억이며 브리핑을 듣던 중 슬그머니 주변의 눈치를 보았다. 다른 단원들은 전부 알고 있는 눈치였다. …아버지, 중요 인물들에게만 알려주는 정보라면서요.

사단장님은 내가 주위를 살핀 것이 '신비'와 관련된 개념을 몰라서 그러는 것이라 착각했는지, 그린우드 씨에게 이따가 나와 애런을 간단히 가르치라고 일러두셨다.

"여하튼, 계속 얘기해보자면, 우리는 저 신전을 탐사하러 떠난다. 해저 신전은 자주 발견되어왔지만, 공중신전은 정말 드물게 발견되어왔기에 신비적 가치가 높을 것이라 기대된다. 신입들은 실전이 처음이니 최대한 후방으로 빼고, 탐사에 능한 단원들을 최전방에 배치한다. 뭐, 별다른 의견 있는 단원 있나? 들어본 후 타당한 의견이라면 최대한 반영하도록 하지. …음. 이견이 없다는 뜻으로 알겠다. 모두 준비하도록."

사단장님의 말이 끝나자마자 모두가 일사불란하게 움직였다. 날개를 챙기고, 무기를 다시 살펴보고, 그 와중에 '신비'에 대한 약식 강의까지 들었다. 그 방대한 내용을 몇 분도 들이지 않고 설명하다니. 그린우드 씨, 은퇴 후에 이론 교관으로 부임하셔도 좋을 것 같다. 응, 재능이 보여.

비공정을 위한 최소한의 인원을 제외한 전원이 준비를 마쳤다. 심장이 군대의 행진곡처럼 쿵쾅쿵쾅 뛰었다. 뺨에는 추위로 인한 홍조가 아닌 흥분으로 인한 홍조가 올랐고, 등에 인 날개는 원래 신체의 일부였던 것 마냥 자연스레 느껴졌다. 아, 드디어 내가 ′신비′를 정면에서 마주하는구나. 눈앞에서 맴돌던 안개를 드디어 걷어낼 수 있구나.

"전원, 하선."

더없이 반가운 말이 들렸다. 그리고, 창천에 몸을 맡겼다. 빛. 내가 여태껏 살면서 본 빛 중 가장 밝은 빛이 나를 반겨주었다. 으하하하. 절로 웃음이 나오는 광경이었다.

***

공중신전은 비공정에서 보았던 것보다는 작았으나, 전혀 볼품없지 않았다. 뚜벅, 뚜벅. 일행의 발걸음이 몇 번이고 울려 퍼졌다. 매서운 바람이 부는 바깥과는 공간이 분리된 것처럼 은은하게 훈기가 돌았다. 신전의 바닥에 깔린 대리석에는 여명의 노르스름한 빛과, 정오의 푸른 빛, 어스름의 주홍빛과 자정의 어두컴컴한 빛이 반짝이고 있었고, 단 한 번도 들어보지 못했을 태곳적의 기도문과 찬송가가 기둥 사이사이에서 숨바꼭질하고 있었다. 하늘을 노니는 고래 떼와, 초원 위를 활보하는 이름 모를 고대의 생명체와, 거인들의 것처럼 거대한 왕정과, 아, 그리고-

쾅!

흠칫, 하고 정신을 차렸다. 사단장님이 큰 츠바이헨더를 땅에 박아서 소리를 냈다. …세상에. 아버지께서 그렇게 주의하라고 경고하셨는데도, ′신비′가 마음에 파고든다는 것이 이런 거구나.

"모두 정신 똑바로 차려!"

사단장님이 크게 일갈했다. 정신에 관여하는 계열의 권능을 지녔는지,

저 한 마디로 일행 대부분이 정신을 차릴 수 있었다.

저벅, 저벅.

"낯선 기척이다. 전투태세를 갖춰."

사단장님이 소리죽여 말했다. 그림자 속에서 한 인영이 걸어 나왔다. 저녁놀처럼 붉은 로브를 두른, 정체불명의 인물이었다. 로브에 가려 잘 보이지는 않았으나, 설원처럼 하얀 머리카락과 그에 못지않게 창백한 피부가 보였다. 그리고, 모든 색을 섞어둔 것처럼 어두운 눈동자가 가운데 외롭게 박혀있었다. 신전을 휘감은 온기에도 불구하고, 그 볼에는 홍조 하나 보이지 않았다. 전체적으로, 어딘지 모르게 인간 같지 않은 사람이었다.

"대응이 상당히 빠르구나. 대부분 신자려나?"

뭐라는 거야. 영문을 모르겠는 말에 일행의 경계심이 더더욱 커졌다. 신자라니?

"더러운 배신자들의 아이들이, 감히, 이곳에 기어들어 오다니. 아이들 아. 무슨 염치로 발을 디뎠니?"

"배신자라니, 저희 모험단은 그 어떤 정치적 은원도 없습니다. 귀인께 서 다른 이와 착각하신 것 같군요."

사단장님이 말을 끝내기도 전에, 상대방의 곱던 미간이 인정사정없이 구겨졌다. 시선은 초점 없이 허공을 맴돌았는데, 과거를 반추하는 듯한 느낌이었다.

"아하, 그래. 그 치들이 제 치부를 알릴 리가 없지."

그가 허탈하게 웃었다.

"그래, 모르는 게 정상이겠구나. 아이들아. 나는 너희의 신들이 미처

먹어치우지 못한 분의 종이며, 무저갱에서 기어 올라온 그분의 심복이자, 원죄의 심판자란다."

퍼엉-!

말이 끝나기가 무섭게, 그자에게서 불같은 기운이 뿜어져 나와 우리를 공격했다. 이상함을 감지한 사단장님이 황급히 보호막을 쳤으나, 일행 전부를 감싸기에는 역부족이었다. 빠른 속도로 다가오는 기운에 고통을 예감했지만, 예상외로 고통이 크지 않았다. 깜짝 놀라 주위를 둘러보자, 몇몇이 고통에 침음하는 모습을 볼 수 있었다. 전부 권능을 가진 권자였다.

"나의 주께서 빛이 있으라 이르시니 불로부터 빛이 생기었고,"

사단장님이 그에게 달려들었다. 그는 사단장님을 건조하게 바라보았다. 무가치한 것을 보는 듯한 눈빛이었다. 느릿느릿 들어 올리는 손에는 아까와 같은 기운이 모여들고 있었다. 멀쩡한 사람들이 상황을 수습하는 동시에, 홀린 듯이 둘의 전투를 바라보았다.

"불은 삿된 것을 태우니,"

사단장님의 굳은 눈과 그의 홉뜬 눈이 허공에서 교차했다.

"그 모든 것이 한 줌의 재로 화하였다."

이윽고, 둘이 공방을 나누기 시작했다. 내 수준과 너무나도 차이나 눈으로 따라갈 수 없었다. 내가 알 수 없는 묘리를 이용해 서로의 허점을 노리고, 무엇이 허초인지 구분할 수 없는 공격 사이에서 실초를 구분해 내고. 초식을 나눌수록 사단장님의 표정이 굳어져만 갔다.

"이상하니? 유독 힘이 많이 들지 않아? 분명 불을 쓰는데, 네가 알던 불과는 다르지 않니?"

"이…!"

"당연히 다르겠지. 그 불은 불완전한 것이니. 감히 은혜도 모르고 훔쳐 간 것이니. 이 불은, 배신자의 것을 용서치 않아."

갑작스레 드러난 진실. 그것은 일순간의 동요를 불러일으키기 충분했다. 낮은 수준의 전투였다면 아무 지장을 주지 않을 만큼의 것이었겠으나, 일정 궤도 이상에 오른 권자들에게는 찰나의 순간도 소중한 것이었다. 그렇기에, 그의 일격을 피하기란 요원한 일이었다.

콰앙!

사단장님이 머얼리 날아가 기둥에 처박혔다. 자욱한 먼지 너머로 그의 흉흉한 기세가 느껴졌다. 그가 소름 끼치도록 아름답게 미소지었다. 사단장님이 있는 힘껏 소리쳤다.

"배신의 낙인은 결코 지워지지 않을 거야. 배신자끼리는 서로를 알 수 있겠지."

"여긴 내가 맡을 테니 모두 도망쳐!"

모두가 그제서야 정신을 차린 듯 몸을 파드득 떨고 채비를 했다.

"한눈팔 여유가 있나 보네?"

스산한 목소리가 들려왔다.

그리고, 열기. 그리고, 빛.

눈앞이 새하얗게 변했다. 일대의 산소가 남김없이 타올랐다. 목구멍에 끈적한 기름이 들이 부어진 듯한 느낌이었다.

그리고, 냄새. 동족의 살이 타들어 가는 냄새. 본능적으로 거부할 수밖에 없는 냄새.

그리고, 생각.

사단장님?

저 안에.

불 안에.

그 냄새가.

응.

사단장님의.

응.

그렇다면.

어라.

어.

…어?

…사단장님?

획, 누군가 멍하니 서 있던 날 낚아챘다. 흐물흐물한 시야에 밀색 머리칼이 드리웠다. 머리카락 사이에 있는 푸른 보석은 붉은빛을 받아 반짝였다. 곱던 미간에는 주름이 지고, 자그맣던 입을 한껏 벌려 뭐라 뭐라 소리쳤다. 들리지 않았다. 수면에 잠긴 것처럼 먹먹했다. 주위로 튀는 불티는 내가 물에 잠기며 생겨난 포말이었고, 열기로 일렁이는 아지랑이는 물이 왜곡시키는 세상과 같았다. 물은, 모든 소리를 삼켜내었다.

그리고, 정적뿐이 자리했다.

***

"-허억!"

밭은 숨을 뱉어내었다. 그리고 공기를 있는 힘껏 들이마셔 호흡을 안정시키려 애썼다. 몸이 으슬으슬 떨렸다. 눈이 쌓인 돌바닥, 주위에는 화톳불. 그리고, 그림자.

"허억, 흐, 흐으, 하아."

기억을 복기했다. 공중신전을 발견했다. 진입했다. 탐사했다. 그리고…
정체를 모르는 이를 만났다. 그리고, 사단장님이……. 그리고, 마지막 기억은 불. 그리고, 애런.

"애, 런? 큼, 애런?"

애런을 불렀다. 목소리가 듣기 싫게 갈라졌다. 그림자가 성큼 움직여 다가왔다.

"렉시. 일어났구나."

"애런, 사단장님은?"

내가 원하는 답을 들려주겠니. 그것으로 위안 삼을 수 있게 도와주지 않겠니.

"아, 그….."

더 듣지 않아도 충분히 짐작할 수 있었다. 사단장님은 죽었구나.

"아, 아하, 그렇구나."

따지고 보면 남이었다. 내가 그의 휘하 소속이었다고 해도, 결국에는 남이었다.

"애런, 혹시 어떻게 탈출한 거야?"

함께 보낸 시간은 1년뿐이었다. 21년 중 1년. 단지 그뿐이었다.

"사단장님은 강했잖아. 그런데, 그런 분마저 죽었는데 어떻게?"

그럼에도, 어째서?

"상처도 잘 보이지 않아."

1년간 아무리 친해졌다고는 해도, 단지 그뿐이었다.

"여긴 어, 크흠, 어디야? 아직 북극인 것, 같은데."

애써 주의를 돌렸다. 목이 조금씩 메어왔지만, 그대로 삼켰다. '신비'는 이보다 잔혹할 거야. 이런 일은 비일비재할 거야. 괜찮아. 괜찮아. 괜찮을 거야. 불이 세졌나? 따뜻하네.

"애런, 대답 좀 해, 주겠니? 애런. 애런."

왜 아무 말도 없어? 왜 정적뿐이야? 난, 이런 정적은 이제 지긋지긋하단 말이야. 제발. 이 정적. 속에서무언가올라오게만들고시간이멈춘것같고이사이의공백을메워줄것도없고일순간이영원같은정신을멍하게하고나를있는힘껏조롱하는것같은이공허한정적정적정적정적정적……,

"흐, 흐으어억, 허억-."

"렉시!"

나를 흔드는 손길에, 정신을 차렸다. 크고 부드러운 손이 뺨을 닦아냈다. 손에 묻은 물이 불빛에 번들번들 빛났다. 눈물?

아, 나 울었구나. 애써 부정했지만, 그는 죽었다. 동백이 졌다. 아직 차디찬 서릿발이 부는 계절인데, 시기도 모르고 이르게 저버렸다. 매일매일을 만개했던 꽃이 지게 되었다. 가득한 눈꽃들이 정원을 메꾸었으나 오직 당신만이 없는 그 정원을 거닐며, 정원에 피어난 모든 꽃을 바라보았다. 당신이 보고 싶었다.

"렉시, 전부 말해줄게. 말해 줄 테니까, 일단 숨 좀 쉬어봐."

그리고, 다정한 녹빛의 눈과 마주쳤다. 아버지의 말씀을 듣고, 한동안 똑바로 바라보지 못했던 눈이다. 눈은 마음의 거울이라던가. 그 눈에 비친 다정함은, 아버지의 조언을, 내가 느꼈던 모든 배신감을 부정하고 싶을 만치 확고한 것이었다.

"그, 사단장님이 도망치라고 하셨잖니. 그 전에 부상자들을 수습하면서 미리 채비를 해뒀어. 오토도 챙기고, 무기도 챙기고, 그리고 도망가려고 했는데, 멍하니 있던 네 뒷모습이 보여서 데려온 거야. 운이 좋았는지, 경상만 입은 채로 탈출할 수 있었어."

그제서야 그의 모습이 보였다. 평소 화려하게 꾸민 모습은 어디로 갔는지, 단정하게 땋아 내렸던 머리는 드문드문 거슬린 채로 풀어 헤쳐져 있고, 반짝이던 보석도 여러 개 잃어버렸는지 보이지 않았다. 흰 셔츠는 드문드문 검붉은 색으로 물들어 있었다. 참으로 멀쩡한 것은, 매일 하고 다니던, 그리고 속임수 계열의 물건이라고 생각했던, 그 목걸이. 상아색 목걸이.

"오토를 타고 하늘을 반나절은 뛰어다닌 것 같아. 간신히 괜찮아 보이는 곳으로 내려와 겨우 너를 뉘었단다. 그 신전, 으로부터 얼마나 떨어져 있는지는 모르겠어. 나도 잘 모르겠어. 일단은, 일단은 몸부터 녹여주겠니. 몸이 얼음장 같아."

"너… 치료는 한 거야? 나는 괜찮으니까 일단은 너부터…"

"네가 누워있을 때 다 했어. 난 괜찮아."

한동안 옥신각신한 끝에, 겨우 화톳불을 사이에 두고 마주 앉았다. 괜찮지 않을 것이라 예상하긴 했으나, 불을 다시 마주하니 속이 울렁이는 기분이었다. 산소가 목구멍에 턱 걸려서 고여버린 것 같았다. 창백한 푸른 빛과 백색 사이에 홀로 자리한 붉은 빛. 잘 그려진 그림 위에 어린아이의 낙서를 오리다가 턱 붙인 것처럼 이질적이었다.

이제 어떻게 해야 할까. 사단장님은 죽고, 속을 알 수 없는, 상처를 입은 권자와 함께 혹독한 북극에 조난했다. 확실한 것은, 그리 좋지 않은 상황이라는 것뿐이었다.

그리고 한편, 속에서 무언가 올라왔다. 갑자기 나타난 그 신전에 대한 것. 갑자기 튀어나온 그 창백한 남자에 대한 것. 그를 넘어서, 그가 그리도 떠받드는 신에 대한 것. 그의 믿음과 권능, 강함, 그리고 부조리. 본디 신이라 함은 모든 이를 자애로운 마음으로 굽어살펴야 하는 것 아닌가? 조건에 맞는 이만 선별적으로 사랑한다면, 그것을 과연 신이라고 명명할 수 있을까. 그것은 그저, 그저.

속에서 부글부글 끓는 것은 계속 몸을 타고 올라와, 머리 위에 자리했다. 내 속에서 솟아 나오는 것. 나는 이것을 비로소 정의할 수 있었다. 나는 신을 부정하려 한다. 신을 죽이고 싶다. 신을 죽일 것이다. 이 감정에 이름 붙이기를, 르상티망. 무저갱을 말미암아 기어 올라온 나의 복수.

인간의 눈물은 값지다. 제 몸뚱어리를 최우선으로 여기도록 난 인간이, 타인에게 신경을 쓰고 감정을 소비한다는 것이 그렇다. 그렇기에, 눈물은 단지 상실, 고통 따위의 하찮은 것들로 끝나서는 결코 안 된다. 나의 눈물은 의지로 화한다. 고통과 역경을 순례할 수 있는 의지. 의지가 선행된다면 실천은 그 무엇보다 간단하다.

"…애런."

"응, 이제 몸 좀 녹였니?"

"응. 애런, 있잖아. 나는 복수를 해야 할 것 같아."

"그, 복수를? 누구에게? 설마 그 남자에게?"

애런은 도저히 이해가 되지 않는다는 낯이었다. 나라도 그랬을 것이다.

사단장님이 눈앞에서 그렇게 당한 모습을 보고도 그를 찾아간다는 말을 들는다면, 미쳤냐며 뜯어말릴 것이다. 인간의 이성으로 설명할 수 없는 행위이기 때문이었다.

그러나, 정말 기이하게도, 세상에는 이성으로 설명하기 힘든 것이 있는 법이다. 아무리 인간이 이성의 동물이라고 해도, 때때로 기저에 잠들어 있는 감정이 인간을 잡아 삼킨다. 아버지의 상실이 그러했고, 나의 상실도 그러할 것이다. 다만 차이가 있다면, 그 감정이 어떻게 화하느냐이다. 아버지가 침잠했다면, 나는 솟구쳐야 한다. 이, 모든 것의 원인인, 그들의 힘은 추호도 필요 없다. 그저, 인간. 나는 오직 인간의 힘으로만 그들에게 도전할 것이다. 이날. 눈보라의 한 가운데에서 깨달았다. 내 안에는, 열정을 형상화한 불꽃이 타오르고 있다는 것을.

- 천공의 신비 1권 완결.

작가의 말

휴, 이 후기를 보고 계신다는 건 제가 마감을 잘 끝냈다는 것이겠죠. 힘냈다, 나 자신! 이 책을 보고 계신 여러분께도 감사의 말을 전하겠습니다. 감사합니다.

사실, 이 책을 쓰게 된 계기는 간단했습니다. 첫 계기는 학교 돈 뽑아먹기, 그다음 계기는 자급자족하기. 첫 계기를 설명해보자면, 학교 도서관에서 책을 쓰는 프로젝트를 한다는 거예요. 프로학교돈빨아먹기아티스트로서 지나치려야 지나칠 수 없는 미끼였습니다. 와! 사비 안 들이고 소장본 뽑기!

그리고 두 번째 계기는 말 그대로… 네…. 요새 읽을 소설이 없었어요. 초등학생, 중학생 시절부터 거주했던 인터넷 소설 시장이 갈수록 고

여만 가더라고요. 출판사들은 어느 정도 인기가 예정된 안정적인 클리셰 덩어리 작품만 출간하고, 그러면 작가 지망생들은 클리셰 덩어리 공장제 소설 찍어내기를 반복하고…. 그사이에 낀 저 같은 독자는 먹을 게 없어지더라고요? 세상에, 여자가 주인공인 판타지는 판타지 카테고리를 못 달고 로판으로 쫓겨났어요. 게다가, 그나마 있는 여주판에도 남성 캐릭터가 나왔다 싶으면 '남성 캐릭터야, 여주 좀 구해줘 ㅠㅠ' 하고 울부짖는 댓글 창 때문에 보기도 힘들었어요. 아~~ 정신 나갈 것 같아~~~!!! 누가 로맨스 없고 보기 편안한 여주판 안 써주나?????

안녕하세요. 2권부터는 필명 '누'로 새롭게 찾아뵙겠습니다. …농담이고요. 아무튼, 제 취향에 맞는 소설이 별로 없었습니다. 오죽하면 남자가 주인공인 소설을 읽으면서 '주인공은 여자다'라고 염불을 외웠겠나요. 그러니까, 이 소설은 제 취향의 집약체라고 할 수 있겠네요. 짧은머리근육진취적인성격의여성캐릭터와 장발전쟁ptsd처연과부(아닙니다)중년남성캐릭터와, 장발흑막귀족남캐와, 아, 별 하나에 근육중년꼰대여성캐릭터와, 별 하나에 인간찬가와, 별 하나에 니체와, 아, 무신론적 실존주의. …써 놓고 보니까 잡탕이네요. 이런 마카롱 김치찌개를 견뎌주셔서 감사합니다.

저는 그간 작가들의 후기 중, 캐릭터가 멋대로 움직였다-라는 투의 문장을 이해하지 못했거든요? 아니, 그런데, 진짜로, 이 소설을 쓰면서 겪게 되었습니다. 4장의 마지막을 보면, 렉시가 카멜리아를 죽인 정체불명의 인간에 대해 증오를 품고, 그 증오가 신에게까지 향하는 모습을 보였습니다. 권능을 증오스러운 힘이라 생각하고, 인간 본연의 힘으로 신에게 맞서겠느니 뭐니 하지요.

그런데 사실, 그럴 생각이 없었어요. 2장이었나? 이야기가 나왔던 대로, 얌전~히 이동 계열 권능을 줄 생각이었어요. 아니, 그런데, 진짜, 하…. 쓰다 보니까 걔한테 그걸 주는 건 진짜, 모욕이더라고요. 아니, 내가 믿고 따르던 상사가 그거 때문에 죽었는데, 내가 그걸 갖게 된다고??? <<이런 느낌이더라고요? 네… 진짜로… 저도 계획이 이렇게 틀어질 줄은 몰랐네요. 완결은 원래 계획대로 할 수 있겠지요…? 있…겠지요?

후속권은… 아마 내년에 나올 것 같아요. 후속권 기다리시는 분이 계신다면 정말 감사합니다. 제 하트를<<퍽. 내년에 고3이니까, 수험생활 틈틈이 공부하기 싫을 때마다 글을 쓰지 않을까요? 그러다가 분량 괜찮다 싶으면 표지 디자인하고, 또 등록하겠지요. 사실 분량이 이 정도 나올 줄 몰랐어요. 100페이지는 나올 줄 알았는데….

이렇게 종이책으로 완결을 낸다면 인터넷 사이트에 연재를 시작할 것 같아요. 아마 조*라에 게시하지 않을까 싶네요. 조*라에서 사필귀정을 발견하신다면, 아마 저일 겁니다. 거기에 게시할 때에는 여기 넣고 싶었는데 넣지 못했던 삽화도 넣고, 스케줄 이슈로 잘랐던 부분도 넣을 생각입니다. 그거 아시나요? 렉시카는 원래 바로 탐험단에 입단하는 것이 아니라 모험가사관학교를 나올 예정이었어요. 한 3~4년쯤 보내두면 알아서 동료도 사귀고, 사건도 겪고 했을 텐데, 그걸 다 쓰기에는 차마 시간이 없어서…. 정말 아쉬운 부분이에요. 학교생활 정말 좋아하는데. 모험가사관학교를 나왔으면 더 다양한 등장인물, 더 풍부한 관계성을 뽑아낼 수 있었을 텐데.

음, 잡설이 꽤 길었지요? 후기가 이렇게 길면 미련 남는 것 같은데.

(사실 남습니다) 쿨하게 떠나보내겠습니다. 이 글의 독자 여러분, 부디, 여성주인공판타지소설을 소비 혹은 생산해주세요. 상부상조해서 먹고삽시다<<픽.

　지금까지 사필귀정이었습니다. 감사합니다.

2023년 12월의 겨울
사필귀정 올림